la Pastèque

Catalogue 2010
© Les Éditions de la Pastèque
Tous droits réservés | 2009

Les Éditions de la Pastèque
5027 rue de Bullion
Montréal – (QC)
H2T 1Z7
T : 514-502-0836
www.lapasteque.com

ISBN 978-2-922585-36-0

 Conseil des Arts du Canada   Canada Council for the Arts

Nous remercions de son soutien le Conseil des Arts
du Canada, qui a investi 20,3 millions de dollars l'an dernier
dans les lettres et l'édition partout au Canada.
    We acknowledge the support of the Canada Council
for the Arts which last year invested $20.3 million in writing
and publishing throughout Canada.

Nous reconnaissons l'aide financière du gouvernement
du Québec par l'entremise de la Société de développement
des entreprises culturelles –SODEC– pour nos activités
d'édition.

Gouvernement du Québec –Programme de crédit d'impôt
pour l'édition de livres– Gestion SODEC

Nous reconnaissons l'aide financière du gouvernement
du Canada par l'entremise du Programme d'aide au développement de l'industrie de l'édition (PADIÉ) pour nos
activités d'édition.

Design graphique : www.1f.ca

la Pastèque

Mai 2008. À la devanture d'une librairie de Portsmouth (New Hampshire) je tombe sur un présentoir de *Paul has a summerjob* tout auréolé d'extraits de presse et d'une chaude recommandation manuscrite du libraire. Ben coudons ! *Paul a un travail d'été*, en vedette, dans une librairie de la côte est... Une bédé québécoise exportée ? Michel Rabagliati, je l'apprends à mon retour, est non seulement « read in USA » mais aussi dans les pays espagnols, chez les Allemands, les Néerlandais et les Italiens de la planète. Je me pince. On appelle ça la mondialisation non ?

La Pastèque est née en 1998. L'histoire est ainsi faite que, à chaque génération, des artistes se lèvent pour la dire et l'écrire et s'y tailler une place. Des audacieux qui nomment différemment, qui affirment autrement et qui nous donnent, comme dit le poète, des yeux neufs.

En 2002 *Paul a un travail d'été* vient redessiner nos étés d'adolescents québécois, nos premiers émois amoureux et fait résonner les Laurentides de nos cris, de nos rires, de nos peurs, de nos chants et même de nos sacres.

En 2005, l'événement. Il faut une bonne dose d'audace pour créer une bédé-livre-de-cuisine, mélange de recettes et d'histoires, avec la signature non pas d'un bédéiste, mais de la crème des illustrateurs. (Je ne me suis encore pas remis du talent d'Isabelle Arsenault) Et, comme si ce n'était pas suffisant, baptiser le tout « L'appareil ». Existe-t-il un mot aussi peu sensuel, drabe et dry dans la langue française ? Audace, je vous dis. L'audace de jouer avec des mots et des mets qui étaient méconnus de la majorité de nos assiettes jusqu'à hier encore : filets de barramundi, sauce mirepoix, piment d'Espelette, champignons shiitak, chou nappa. L'album est un succès. Sept fois récompensé par des prix, il trouve des lecteurs par milliers. Faut croire que cette Pastèque rassasie.

En 2006, tout un village qui se résumait jusque là au AWING-NAHAN de la chanson d'Oscar Thiffault est réinventé par Pascal Blanchet. Ce *Rapide Blanc* inscrit dans sa chair, Pascal Blanchet l'inscrit sur nos pupilles. L'artiste y joue de la ligne horizontale et verticale comme un virtuose, de l'archet. Toutes ses lignes nettes et tranchantes délient les perspectives, déploient la vastitude de notre espace, disent le taiseux de nos paysages et le nu de nos solitudes. Surtout, elles révèlent tout à coup des pans entiers, délaissés, de l'histoire de la Mauricie.

Depuis 12 ans, La Pastèque dit, écrit et illustre différemment la vie. En douze ans, plus de 75 titres au catalogue. Bonne moyenne au crayon ! Avec elle, la bande dessinée a pris du gallon littéraire et artistique et, je le crois, gagné en expression et en profondeur. En tout cas, mon idée personnelle du 9ᵉ art en a été changée à jamais et, du coup, mon idée de la littérature itou. Se pourrait-il que ce catalogue change la vôtre ? Possible. Je parierais même une bonne grosse pastèque là-dessus !

Jean Fugère, Août 2008

Pourquoi ce nom : La Pastèque ?

    Nous cherchions un nom qui ne serait pas en lien étroit avec la bande dessinée, un nom qui se prononcerait aussi bien en anglais qu'en français. Et Frédéric venait d'être comblé par sa lecture de *Le sucre de la Pastèque* de Richard Brautigan… La Pastèque ! Voilà, le nom était trouvé.

Nous n'avons pas réinventé la roue. L'origine de la Pastèque puise ses sources chez tous ces petits éditeurs qui, au début des années 90, ont privilégié un renouvellement de la bande dessinée en adoptant des pratiques artistiques et commerciales différentes.

Nous voulions rendre viable au Québec une telle structure d'édition dédiée à la bande dessinée. Nous pensions que le lectorat d'ici serait lui aussi sensible aux bouleversements qui agitaient le 9ème art ailleurs dans le monde. Douze ans, et plus de soixante-quinze titres plus tard, nous considérons avoir fait la preuve que notre intuition était la bonne.

Nos choix et nos publications concrétisent de façon éloquente notre démarche éditoriale. Regardez ce que nous avons publié, vous y trouverez l'essence de ce qui nous anime. La cohérence de nos choix éditoriaux est la preuve que nous faisons ce métier de façon responsable et professionnelle depuis nos débuts.

Nous sommes fiers de notre maison d'édition et du degré d'indépendance et de liberté dont nous bénéficions encore après toutes ces années. Nos réalisations sont à la hauteur de nos espérances.

Ce catalogue se veut une vitrine de notre travail. Nous ne nous arrêterons pas en si bon chemin, il nous reste encore tant de projets enthousiasmants à réaliser.

Merci de nous lire.

Martin et Frédéric, La Pastèque

Catalogue 2010

EXQUIS

Collectif
Spoutnik 1

ISBN : 1481–5788
Format : 16,5 x 22,9 cm souple
Pagination : 88
Impression : noir et blanc
Couverture : quadrichromie
[Épuisé]

« *Spoutnik* nous offre une sorte de synthèse de toutes ces nouvelles tendances cultivées par des créateurs d'origines diverses. »

— Voir —

« *Spoutnik* est un peu au Québec ce que *Bile Noire* est en Suisse : une belle vitrine sur les nouvelles tendances de la BD. »

— Voir —

Spoutnik 1 réunit les travaux de Seth, Olivier Douzou, Jochen Gerner, Guy Delisle, Martin Brault, Leif Tande, Sophie Casson, Jimmy Beaulieu, Jessica Abel, Ulf K. et Brian Biggs.

Spoutnik était la revue de bande dessinée de la Pastèque. Ce collectif à publication quasi annuelle proposait de courts travaux d'auteurs québécois mais aussi d'étrangers. Véritable laboratoire, *Spoutnik* fut une vitrine importante de notre activité éditoriale à nos débuts. La revue n'est plus publiée. Nous préférons nous concentrer sur des projets collectifs du genre de *L'appareil.*

Collectif
Spoutnik 2

ISBN : 978-2-922585-02-5
Format : 15,2 x 22,9 cm souple
Pagination : 160
Impression : noir et blanc
Couverture : bichromie
PVP : 19,95 $ | 14 €

Collectif
Spoutnik 3

ISBN : 978-2-922585-06-3
Format : 15,2 x 22,9 cm souple
Pagination : 104
Impression : noir et blanc
Couverture : bichromie
PVP : 14,95 $ | 11 €

Un recueil des travaux de Pascal Rabaté, Albert Chartier, Christophe Blain, Sophie Casson, Benoît Joly, Tanitoc, Stéphane Jorish, Jimmy Beaulieu, Morvandiau, Guy Delisle, Martin Brault, Michel Rabagliati, Marc Lizano, Rémy Simard, Virginie Faucher, Leif Tande, Ulf K. et Nicolas Mahler.

Spoutnik 3 regroupe les travaux de Matt Broersma, Jimmy Beaulieu, PhlppGrrd, Michael Meister, Guy Delisle, Nicolas Mahler, Leif Tande, Jochen Gerner, Martin Brault, Michel Rabagliati, François Ayroles, Olivier Douzou, Ulf K., Laurent Cilluffo et Brian Biggs.

Collectif
Spoutnik 4

ISBN : 978-2-922585-11-7
Format : 15,2 x 22,9 cm souple
Pagination : 96
Impression : noir et blanc et bichromie
Couverture : bichromie
[Épuisé]

Collectif
Spoutnik 5

ISBN : 978-2-922585-18-6
Format : 15,2 x 22,9 cm souple
Pagination : 96
Impression : noir et blanc
Couverture : bichromie
PVP : 14,95 $ | 11 €

Spoutnik 5 présente les travaux des bédéistes Isabelle Arsenault, François Ayroles, Jimmy Beaulieu, Martin Brault, Émile Bravo, Guy Delisle, Olivier Douzou, Virginie Faucher, Jochen Gerner, Ulf K., Nicolas Mahler, Morvandiau, Ninon, José Parrondo, PhlppGrrd, Michel Rabagliati, Alain Reno, Jenni Rope, Rémy Simard, Leif Tande et Tanitoc.

Spoutnik 4 rassemble les travaux de Matt Broersma, Michel Rabagliati, PhlppGrrd, Leif Tande, Ulf K., Émile Bravo, Jean-François Martin, Martin Brault, Nicolas Mahler, Patrick Pelletier, Nicolas Robel, Chihoi Lee, Tanitoc et Seeman Ho

Les travaux de *Spoutnik 5* devaient faire partie de *L'appareil*. Depuis un long moment déjà, nous avions envie de publier de la bande dessinée sur le thème de la nourriture. Le point de départ fut donc de demander des recettes à des illustrateurs. Au fur et à mesure que nous recevions les travaux, nous nous apercevions que la plupart d'entre eux avaient une alimentation, disons… cocasse. Nous sommes donc revenus à notre table à dessin et nous avons imaginé *L'appareil*. Les planches reçues sont alors devenues l'ingrédient principal d'un *Spoutnik* dédié à la cuisine.

Brian Biggs
Chère Julia

ISBN : 978-2-922585-00-1
Format : 19 x 22,8 cm souple
Pagination : 104
Impression : noir et blanc
Couverture : bichromie
PVP : 18,95 $ | 14 €

« La subtilité de l'oeuvre de Biggs est d'ailleurs en bonne partie due au pouvoir de suggestion d'un dessin et d'un texte donné au compte-gouttes. »

— Voir —

« Le mystère plane, charme principal de ce récit cousu d'énigmes où la redondance des plans rapprochés des visages contribue au caractère obsessionnel. »

— Le Devoir —

Boyd Solomon est obsédé par l'idée de voler. Ses souvenirs, qu'il raconte à Julia dans une lettre, dévoileront peu à peu les mystères qui entourent sa vie. L'Américain Brian Biggs livre avec *Chère Julia* une étonnante fable sur la folie.

Le premier livre que nous publions en 1999 est une traduction d'un auteur américain. L'idée est lancée : on publiera des auteurs étrangers à la Pastèque. Le catalogue doit accueillir le reste du monde. Et nous conservons toujours cette sensibilité aux autres.

Brian Biggs naît en 1968 à Little Rock, en Arkansas. Il grandit au Texas, puis passe quelque temps à New York et à Paris. Parmi ses premières oeuvres figurent le livre *Frederick & Eloise*, publié par Fantagraphics en 1993, et plusieurs autres nouvelles publiées dans différents magazines et anthologies. À titre d'illustrateur, il s'adonne à son art pour plusieurs clients aux États-Unis.

Michel Rabagliati
Paul
à la campagne

ISBN : 978-2-922585-01-8
Format : 19 x 25,4 cm souple avec rabats
Pagination : 48
Impression : noir et blanc
Couverture : bichromie
PVP : 14,95 $ | 11 €

Rencontre déterminante s'il en est une. Au lancement de *Spoutnik 1*, un illustrateur se présente à nous et nous demande si nous sommes intéressés à voir son travail. La suite est plutôt connue. Auteur fortement médiatisé, il a ouvert d'innombrables portes. Si la bande dessinée québécoise se porte aussi bien aujourd'hui, elle en est largement redevable au travail de Michel Rabagliati.

« Le regard de l'enfant, tel un kaléidoscope, apporte un éclairage inusité ou fantaisiste là où il se pose. »
— Ici —

« Rabagliati se révèle un excellent conteur, observateur et doté d'une belle sensibilité. »
— Le Devoir —

Avec *Paul à la campagne*, Michel Rabagliati révèle une œuvre semi-autobiographique pleine de sensibilité. L'album se compose de deux récits, placés sous le signe de la nostalgie de l'enfance. *Paul à la campagne* raconte une visite dans les Laurentides tandis que *Paul apprenti typographe* pose un regard tendre sur l'affection liant un père et son fils.

En 2000, ce livre a remporté le Prix de l'espoir québécois au Festival de la bande dessinée de Québec et le Bédélys du meilleur album québécois. De plus, il a obtenu un Harvey Award dans la catégorie Best New Talent en 2001 et il a été mis en nomination aux Eisner Awards et aux Ignatz Awards, trois prix qui récompensent la bande dessinée aux États-Unis.

Michel Rabagliati est né en 1961 à Montréal où il a grandi dans le quartier Rosemont. Après s'être intéressé un moment à la typographie, il étudie en graphisme et il travaille à son compte dans ce domaine à partir de 1981. Puis, il se lance sérieusement dans l'illustration publicitaire en 1988. Depuis 1999, ses bandes dessinées révolutionnent le 9e art québécois. Avec ses cinq livres, Michel Rabagliati est devenu une figure incontournable de la bande dessinée d'ici. En avril 2005, il reçoit le Grand Prix de la ville de Québec décerné par le Festival de BD de Québec et le titre de Personnalité de la semaine du quotidien La Presse. En 2007, l'auteur s'est vu décerner une Mention spéciale pour l'ensemble de son œuvre par le Prix des libraires du Québec.

Michel Rabagliati
Paul a un travail d'été

ISBN : 978-2-922585-09-7
Format : 19 x 25,4 cm souple avec rabats
Pagination : 152
Impression : noir et blanc
Couverture : bichromie
PVP : 24,95 $ | 19 €

« Michel Rabagliati écrit cette histoire avec une tendresse infinie. »
— Ici —

« S'il fallait choisir quelle est la meilleure bande dessinée parue depuis le début de cette année, je hurlerais à la cantonade en agitant les bras : *Paul a un travail d'été.* »
— Pastis.org —

Michel Rabagliati raconte ici les aventures estivales de Paul qui décroche son premier emploi, moniteur dans un camp de vacances. Ce dernier va apprendre au cours de l'été à dominer ses angoisses et ses peurs, à vivre en collectivité et à s'épanouir. Un témoignage éblouissant sur la transition entre l'enfance et l'âge adulte.

Ce livre a été récompensé par le Bédélys Québec remis à la bande dessinée québécoise de l'année 2002, le Bédélys Média 2002, le Prix Réal-Fillion de la meilleure bande dessinée québécoise de l'année au Festival de la BD francophone de Québec 2003 et finalement le prix BD Québec pour le meilleur album de l'année 2002.

Michel Rabagliati
Paul en appartement

ISBN: 978-2-922585-22-3
Format: 19 x 25,4 cm souple avec rabats
Pagination: 120
Impression: noir et blanc
Couverture: bichromie
PVP: 21,95 $ | 16 €

« Rabagliati est un artiste généreux, son trait est d'une précision et d'une expressivité exemplaires. »

— Ici —

Quelques années ont passé et Paul se retrouve en appartement avec sa copine sur le plateau Mont-Royal à Montréal. Une œuvre définitivement urbaine, mais qui garde une fois de plus finesse, simplicité et sensibilité, autant de qualités auxquelles l'auteur nous a habitués.

Paul en appartement a été récompensé par le Grand prix de la ville de Québec du Festival de la BD francophone de Québec 2005 pour la meilleure bande dessinée québécoise et par un Doug Wright Award 2006 dans la catégorie Best Book.

Michel Rabagliati
Paul dans le métro

ISBN: 978-2-922585-27-8
Format: 19 x 25,4 cm souple avec rabats
Pagination: 96
Impression: noir et blanc
Couverture: bichromie
PVP: 19,95 $ | 15 €

« Si les livres de Rabagliati sont si agréables, c'est parce qu'il est un excellent conteur et que ses dialogues sonnent toujours juste. »

— La Presse —

Ce quatrième titre de la série des Paul regroupe les courts travaux réalisés par Michel Rabagliati depuis ses débuts. On retrouvera donc Paul avec grand plaisir, cette fois dans de courts récits à la fois touchants et amusants. Et une belle surprise inédite attend le lecteur à la fin du livre.

Paul dans le métro a été mis en nomination dans la catégorie Bédélys Québec 2005 qui récompense le meilleur album québécois de l'année et aux Ignatz Awards 2004 dans la catégorie outstanding story.

Michel Rabagliati
Paul à la pêche

ISBN: 978-2-922585-39-5
Format: 19 x 25,4 cm souple avec rabats
Pagination: 208
Impression: noir et blanc
Couverture: bichromie
PVP: 29,95 $ | 22 €

Michel Rabagliati
Paul à la pêche
la Pastèque

« *Paul à la pêche* rappelle *Le Fabuleux destin d'Amélie Poulain* à la personne qui s'y plonge de le faire connaître à ceux qu'elle aime. »

— Le Libraire —

Une semaine de vacances dans une pourvoirie, voilà le merveilleux prétexte choisi par Michel Rabagliati pour élargir son univers et présenter de nouveaux personnages. L'amitié, l'amour et la vie constituent le cœur du récit. De plus, Paul et Lucie rêvent de devenir parents... Avec *Paul à la pêche*, son cinquième livre, l'auteur démontre tout le chemin parcouru depuis ses débuts. En pleine maîtrise de ses moyens, il dessine la vie... tout simplement.

La bande dessinée la plus vendue au Québec pendant trois mois consécutifs, *Paul à la pêche* fut l'événement littéraire de l'automne 2006 au Québec.

Paul à la pêche a remporté les prix: Joe Shuster Award - Créateur exceptionnel de Bandes Dessinées Canadien Francophone, Prix des libraires du Québec 2007 - Mention spéciale, Bédélys Québec 2006 - Association des libraires du Québec - Album québécois de l'année, Festival de la BD francophone de Québec 2007 - Grand prix de la ville de Québec - Meilleure bande dessinée québécoise. De plus, le livre a été nominé aux Ignatz Awards 2008 dans la catégorie outstanding graphic novel.

6

Michel Rabagliati
Paul à Québec

ISBN: 978-2-922585-70-4
Format: 19 x 25,4 cm souple avec rabats
Pagination: 184
Impression: noir et blanc
Couverture: bichromie
PVP: 27,95 $ | 20 €

« Un formidable hymne à la vie qui nous rappelle l'importance de savoir dire adieu. »

— La Presse —

« Un album qui va droit au coeur. »

— Le Soleil —

Le plus récent tome des aventures de Paul a touché une corde sensible. 10 000 exemplaires se sont écoulés en l'espace de 3 mois au Québec. On commence à parler de la construction d'un mythe. *Le devoir* pose la question à sa une du 11 avril 2009 : Paul est-il en train de devenir le Tintin du Québec?

L'achat d'une première maison et la mort d'un proche sont au cœur de ce nouvel opus. D'Ahuntsic à St-Nicolas, en passant par le célèbre Madrid, l'auteur nous amène, cette fois-ci, à découvrir sa famille à travers un livre fort émouvant. Michel Rabagliati nous démontre une fois de plus qu'il est en pleine maîtrise de ses moyens, il dessine la vie... tout simplement.

Vincent Vanoli
La chasse galerie

ISBN: 978-2-922585-03-2
Format: 19 x 25,4 cm souple
Pagination: 40
Impression: noir et blanc
Couverture: bichromie
PVP: 14,95 $ | 11 €

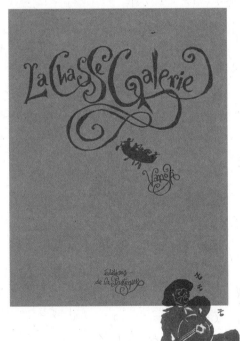

« La joie et la liberté que s'est manifestement données Vincent Vanoli dans cet album en font non seulement une intéressante relecture de la chasse-galerie, mais aussi l'une des plus belles bandes dessinées de l'année. »

— Voir —

« Les images inquiètes et les mines patibulaires des personnages de Vanoli siéent étonnamment bien aux tourmentes hivernales et aux bûcherons éméchés de la légende. »

— Le Libraire —

Vincent Vanoli s'est attaqué à une œuvre fondamentale de la littérature québécoise. Ce récit d'Honoré Beaugrand, qui nous raconte comment des bûcherons retrouvent leurs blondes la veille du jour de l'An après un pacte avec le diable, est illustré d'une façon magistrale grâce au regard vierge de l'auteur et à son trait expressionniste qui rappelle l'art de l'estampe.

Adapter l'un des contes les plus célèbres du Québec en bande dessinée est un projet un peu fou, mais demander à un Français de le réaliser est encore plus dément. Et pourtant, nul autre que Vincent Vanoli ne pouvait réaliser pareil chef-d'œuvre, un illustrateur discret mais essentiel.

Vincent Vanoli est né en France en 1966 à Mont Saint-Martin. Il participe à plusieurs publications de bande dessinée depuis 1989 dans diverses structures alternatives dont L'Association et Égo Comme X.

Martin Brault
Visite guidée

ISBN: 978-2-922585-05-6
Format: 12,7 x 17,8 cm souple
Pagination: 24
Impression: noir et blanc
Couverture: bichromie
[Épuisé]

Martin Brault
La soirée du hockey

ISBN: 978-2-922585-07-0
Format: 12,7 x 17,8 cm souple
Pagination: 24
Impression: noir et blanc
Couverture: bichromie
PVP: 5,95 $ | 4 €

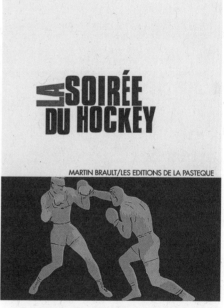

Dans un musée, deux touristes engagent la conversation à propos des États-Unis... *Visite guidée* est un récit muet utilisant les timbres comme technique narrative. Un petit livre à l'accent oubapien.

Les péripéties d'un commentateur sportif pris dans le tourbillon d'un match plutôt électrisant de hockey sur glace. Comme dans son précédent récit, Martin Brault utilise avec une efficacité remarquable la philatélie comme outil de narration.

Cofondateur des éditions de la Pastèque, Martin Brault fut à un certain moment, obsédé par l'OuBaPo, ce qui donna naissance à deux petites plaquettes qui ne seront jamais rééditées.

Nicolas Mahler
Désir

ISBN : 978-2-922585-04-9
Format : 15,2 x 22,9 cm souple
Pagination : 48
Impression : noir et blanc
Couverture : bichromie
PVP : 9,95 $ | 8 €

« Nicolas Mahler a un flair particulier pour l'absurde. Il sait trouver, même dans des situations qui peuvent sembler banales, le tragique de la condition humaine. À partir de ces situations, il distille, de façon inimitable dans la forme comme dans le contenu, l'essence de l'échec et de la vanité. Son art incroyablement comique est le reflet de la vie. »

— Fumetto —

Désir est une œuvre qui porte sur l'amour et sur la détresse affective. Son trait fin et dépouillé fait de l'Autrichien Nicolas Mahler l'un des dessinateurs les plus importants du moment. À lire de toute urgence.

Désir a reçu le prix du meilleur album dans la catégorie humour au German Independant Comic Award 2002

Nicolas Mahler vit à Vienne en Autriche où il réalise des illustrations pour des journaux et des magazines allemands, autrichiens, suisses, canadiens et américains. Ses bandes dessinées sont principalement publiées par L'Association, B.ü.L.b Comix et La Pastèque. Il a également réalisé une série de courts-métrages d'animation autour du personnage de Flashko, l'homme à la couverture.

En 2000, une première rencontre avec Nicolas Mahler à Angoulême mène à la publication de *Désir* et marque le début d'une longue collaboration. Cet illustrateur de génie sait bien rendre compte, par le biais de l'humour, de l'essentiel de la vie. Après huit ans, Nicolas est toujours surpris de l'intérêt qu'on lui porte et, nous, aux éditions de La Pastèque, nous nous demandons toujours pourquoi c'est à nous qu'il confie encore certains livres.

Nicolas Mahler
Le labyrinthe de Kratochvil

ISBN: 978-2-922585-10-0
Format: 12,7 x 17,8 cm souple
Pagination: 24
Impression: noir et blanc
Couverture: bichromie
[Épuisé]

Nicolas Mahler
Shitty Art Book

ISBN: 978-2-922585-13-1
Format: 17,8 x 12,7 cm souple
Pagination: 48
Impression: bichromie
Couverture: bichromie
PVP: 12,95 $ | 9 €

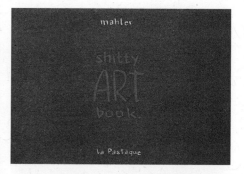

Nicolas Mahler est un auteur prolifique. Tant mieux pour nous, car il est un auteur doté d'un talent exceptionnel. On retrouvera avec plaisir le personnage de *Kratochvil* dans *Shitty Art Book*. L'ouvrage répond en écho à *Kratochvil* publié à L'Association et au *Labyrinthe de Kratochvil* édité par La Pastèque. Une étrange poésie émane de ce livre où le bédéiste expose sans concession le mal de vivre de notre société.

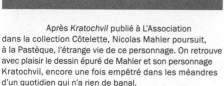

Après *Kratochvil* publié à L'Association dans la collection Côtelette, Nicolas Mahler poursuit, à la Pastèque, l'étrange vie de ce personnage. On retrouve avec plaisir le dessin épuré de Mahler et son personnage Kratochvil, encore une fois empêtré dans les méandres d'un quotidien qui n'a rien de banal.

Nicolas Mahler
Bad job

ISBN: 978-2-922585-21-6
Format: 20,3 x 15,2 cm souple
Pagination: 48
Impression: bichromie
Couverture: bichromie
PVP: 12,95 $ | 9 €

Nicolas Mahler
Le parc

ISBN: 978-2-922585-25-4
Format: 20,3 x 27,9 cm souple
Pagination: 48
Impression: bichromie
Couverture: bichromie
PVP: 16,95 $ | 13 €

Distribuer des prospectus n'a rien de ce que l'on pourrait appeler un travail particulièrement gratifiant.. À travers la lorgnette de Nicolas Mahler, nous découvrons un métier, disons... particulier.

Bad Job est un livre résolument humoristique et démontre encore une fois et sans l'ombre d'un doute le talent unique de l'auteur.

Le Parc de Nicolas Mahler, qui s'apparente à un conte minimaliste issu de la sagesse chinoise, s'attache à la destinée de Waldemar, l'arbre immuable qui regarde le monde depuis son parc, assistant avec résignation à la disparition d'amis qui constituent son univers dépouillé... En quelques traits, Mahler esquisse la fatalité de la vie et la nostalgie inhérente à notre condition humaine. Du grand Art!

Nicolas Mahler
Poèmes

ISBN: 978-2-922585-42-1
Format: 15,2 x 20,3 cm souple avec rabats
Pagination: 96
Impression: bichromie
Couverture: trichromie
PVP: 16,95 $ | 12 €

Nicolas Mahler
Secret Identities

ISBN: 978-2-922585-77-3
Format: 20,3 x 24,1 cm cartonné toilé
Pagination: 96
Impression: quadrichromie
Couverture: quadrichromie
PVP: 24,95 $ | 18 €

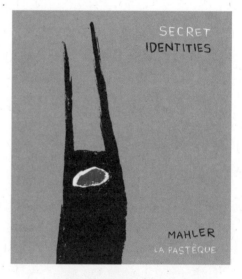

« Pour Nicolas Mahler, la vie-mode-d'emploi, c'est simple comme un poème graphique. Mais qu'est-ce qu'un poème graphique ? Et que veut dire simple ? Tout se complique déjà...

Revenons donc rapidement aux choses simples, avec Friedrich Nietzche bien sûr : « Il faut une certaine imprécision du regard, une certaine volonté de tout simplifier pour qu'apparaissent la beauté, la valeur des choses. »

Une chose simple, ce n'est pas une chose simpliste ; le simple, c'est la connexion enfin réalisée entre l'œil et l'esprit. C'est aussi l'un des secrets du beau, l'un des plus difficiles à maîtriser... »

— Christian Dubuis Santini, éditeur de l'Ampoule —

Nicolas Mahler ne fait rien comme les autres. Son nouveau livre est le premier livre d'art à l'intention des amateurs de super-héros. Rien de moins. Quand on connaît le travail de Nicolas Mahler, on peut s'attendre à un livre qui va au-delà du simple exercice de style...

Un livre à ranger dans la section Art ou à côté de Spiderman dans la section bande dessinée.

« ...ouvrage discret, à la fois complètement idiot et terriblement subtil. »

— Paris Art —

Guy Delisle
Comment
ne rien faire

ISBN : 978-2-922585-49-0
Format : 19,1 x 25,4 cm cartonné
Pagination : 144
Impression : noir et blanc, bichromie
et quadrichromie
Couverture : quadrichromie
PVP : 23,95 $ | 18 €

« Il y a quelque chose de fascinant à constater la variété des coups de crayon dont cet artiste extrême-ment polyvalent est capable »

— Ici —

Comment ne rien faire rassemble les courts travaux de l'auteur québécois parus dans diverses publications aux cours des dernières années. À travers ces histoires expérimentales ou intimistes aux chutes parfois déconcertantes, Guy Delisle crée une œuvre empreinte de finesse et d'humour. La livre a subi une refonte complète en 2007 à l'occasion de la troisième édition.

Guy Delisle est né en 1966 à Québec. Après des études en arts et en animation, au Sheridan College de Toronto, il travaille pour différents studios à travers le monde. Il réalise en 1994 un court-métrage pour enfants Trois petits chats.
Son premier livre, Réflexion, est publié par L'Association en 1996.
Il entreprend, en 2001, une série dans la collection Poisson Pilote aux éditions Dargaud : Inspecteur Moroni. Son travail prend un véritable envol avec la publication de ses expériences de super-viseur d'animation en Asie, Shenzhen et de Pyongyang édités par L'Association.

Nous avons découvert Guy Delisle à travers sa Patte de Mouche, Réflexion en 1996. Un voyage mémorable chez lui à Montpellier en 1999 a ouvert la voie à une collaboration discrète mais essen-tielle pour nous.

Jacques Gagnier
Retour
de vacances

ISBN: 978-2-922585-12-4
Format: 16,5 x 22,8 cm souple
Pagination: 64
Impression: noir et blanc
Couverture: bichromie
PVP: 13,95 $ | 10 €

Retour de vacances présente 56 planches issues du supplément dominical du journal *La Patrie* où Jacques Gagnier a aussi réalisé *La vie en images*, des illustrations produites de 1944 à 1947. Appelées à l'époque, des caricatures d'actualité, les planches de Jacques Gagnier gardent aujourd'hui une fougue endiablée. Son coup de plume est alerte et animé d'une grande délicatesse.

Jacques Gagnier est né à Montréal en 1918 et il y est décédé en 1978. Ses débuts sont associés aux *Fridolinades* de Gratien Gélinas à la fin des années 30: Il en réalise les décors, les programmes, les affiches et même une bande dessinée! Illustrateur prolifique, Jacques Gagnier a réalisé, au cours de sa carrière, de nombreuses illustrations. Il a aussi été caricaturiste à *La Patrie* et au *Devoir*.

C'est une rencontre avec Michel Viau qui mène à la publication du livre de Jacques Gagnier en 2002. Jamais nous n'avions eu à travailler avec un matériel de la sorte. Nous avons accompli un travail colossal pour récupérer les planches et pour, finalement, obtenir un résultat plutôt mitigé. Ce livre subira une refonte un jour, c'est une promesse.

Leif Tande
Pando le Panda

ISBN: 978-2-922585-14-8
Format: 17,3 x 12,7 cm souple
Pagination: 74
Impression: une couleur
Couverture: bichromie
PVP: 12,95 $ | 9 €

Leif Tande alias Éric Asselin est un phénomène. Figure emblématique du 9e art québécois, cet illustrateur prolifique a livré à La Pastèque son travail le plus remarquable. *Morlac* demeure, à nos yeux, une pièce maîtresse de notre catalogue et résume assez bien ce qui se passe dans la tête du plus fou de nos auteurs.

Sous la forme d'un album tête-bêche et d'un abécédaire quelque peu inattendu, l'auteur nous promène à travers la planète à l'aide de différents moyens de transport et dans un véritable vivier de maladies...!

Leif est originaire de Mosjoen en Norvège. En 1996 il termine un doctorat en nanotechnologie à l'Université de Jyväskylä en Finlande. En 1999 il émigre au Canada pour poursuivre ses recherches sur la microquantique avec des sommités du monde scientifique. Mais l'année suivante, il sera malencontreusement soumis à une dose habituellement mortelle de rayons oméga émis par l'accélérateur de particules nucléaires de l'Université Laval à Québec. Ses confrères furent témoins de l'horrible métamorphose subie par Leif, toujours vivant.
Depuis, maintenu en observation en milieu contrôlé, Leif a complètement mis de côté la science et il se passionne désormais pour la bande dessinée, convaincu que seule cette discipline a désormais le pouvoir de changer le monde. Une fois l'an, le sas de son caisson hyperbare est ouvert pour en retirer ses messages divinatoires encryptés qui sont livrés au public sous forme de codes narratifs et de séquences illustrées.

Leif Tande
Morlac

ISBN : 978-2-922585-29-2
Format : 20,3 x 26,7 cm souple avec rabats
Pagination : 152
Impression : noir et blanc
Couverture : bichromie
PVP : 23,95 $ | 17 €

« Une expérience de lecture totalement inédite ! »

— Le Libraire —

Cette bande dessinée, sous des aspects oubapiens, présente un récit tentaculaire qui se multiplie sous l'effet des choix qui s'imposent au personnage. On retrouve donc, non pas un récit unique à lire mais plusieurs histoires qui se coupent et se recoupent vers une fin réglée au quart de tour. Avec *Morlac*, l'auteur repousse les cadres de la bande dessinée et plonge dans une exploration singulière de ses limites narratives.

Leif Tande a remporté en 2006, lors du Festival de la bande dessinée de Québec, le Grand Prix de la ville de Québec décerné à la meilleure bande dessinée québécoise de l'année pour Morlac. Le livre a aussi été nominé aux Bédélys Québec 2005 dans la catégorie Album québécois de l'année. L'auteur a quant à lui été nominé aux Shuster Awards 2006 dans la catégorie Créateur canadien exceptionnel de bandes dessinée.

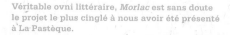

Véritable ovni littéraire, *Morlac* est sans doute le projet le plus cinglé à nous avoir été présenté à La Pastèque.

Leif Tande
Le canard et le loup

ISBN: 978-2-922585-50-6
Format: 12,7 x 17,8 cm souple
Pagination: 72
Impression: bichromie
Couverture: quadrichromie
PVP: 12,95 $ | 9 €
[Collection Pamplemousse]

Le canard et le loup est une histoire que l'auteur a imaginée un soir pour endormir son fils Cédric. Et cette petite histoire est devenue le premier livre de Leif Tande dans la collection Pamplemousse. Leif Tande, arrive là où vous ne l'attendiez peut-être pas. Une jolie fable pour enfants écrite et dessinée par un auteur reconnu pour son humour noir. Vous êtes avertis...

Leif Tande
L'origine de la vie

ISBN: 978-2-922585-81-0
Format: 16,5 x 21,6 cm cartonné
Pagination: 376
Impression: quadrichromie
Couverture: quadrichromie
[À paraître en 2010]

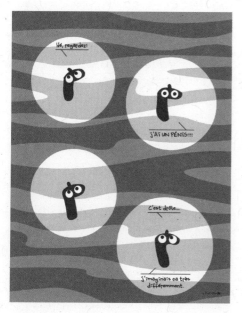

Molécule est né il y a 3,8 milliards d'année. Il fut le premier organisme vivant de la planète Terre. Bien que ses origines soient encore controversées par les scientifiques contemporains, nous avons droit à son auto-biologie qui nous éclaire enfin sur la véritable naissance de la vie sur Terre. Peu importe votre opinion, génération spontanée, créationnisme ou origines exogènes, Molécule répond à toutes vos questions existentielles et peut-être un peu plus...

Molécule c'est aussi un web-comic que l'auteur a tenu pendant 365 jours sur internet en 2008. Ce livre sera le plus imposant que nous ayons publié jusqu'à ce jour: 376 pages sous couverture cartonnée! Un pavé! Et une expérience de lecture étonnante comme Leif Tande nous a habitué!

Leif Tande et Phlppgrrd
Danger public

ISBN: 978-2-922585-54-4
Format: 20,3 x 26,7 cm souple avec rabats
Pagination: 88
Impression: noir et blanc
Couverture: bichromie
PVP: 19,95 $ | 15 €

« Ce one-shot nous rend joyeusement complices d'élucubrations sanglantes et délicieusement dénuées de toute culpabilité. Après cette lecture, vous ne regarderez plus votre coiffeur du même oeil... »
— Canal BD —

« L'association entre PhlppGrrd et Leif Tande se révèle proprement géniale. »
— Voir —

« ...un exercice de style hilarant et jouissif. Des plans aussi tordus, on en prendrait à la dizaîne. »
— La Presse —

Persuadé que le type attablé au restaurant d'en face en veut à sa vie, un barbier échafaude une série de scénarios pour sauver sa peau. Malheureusement, plusieurs obstacles se dressent sur son chemin. Et... le danger ne vient pas toujours d'où l'on pense !.

Auteur de BD et de littérature pour la jeunesse, Philippe Girard étudie en graphisme à l'Université Laval. Par la suite, il est engagé comme graphiste, puis comme réalisateur pigiste par la société Radio-Canada. Au printemps 1997, il lance avec des amis le fanzine Tabasko, un mensuel dédié à la bande dessinée qui paraît pendant deux ans. En 2000, son premier album de bande dessinée, Jim le Malingre: avatars ataviques, remporte le prix Bédéis causa humour du Festival international de la BD de Québec. Au cours de la même année, l'un de ses textes est retenu pour le concours de nouvelles pour la jeunesse de l'Agence Québec-Wallonie-Bruxelles. L'année suivante, il collabore au collectif de bandes dessinées Avons-nous les bons pneus? qui sera l'acte fondateur de l'écurie Mécanique générale. La série Gustave et le capitaine Planète, dont il signe les textes et les illustrations, est publiée à La courte échelle. Danger public est son premier livre à La Pastèque.

Rémy Simard
Méchant Boris

ISBN: 978-2-922585-15-5
Format: 12,7 x 17,8 cm souple
Pagination: 64
Impression: bichromie
Couverture: quadrichromie
PVP: 12,95 $ | 9 €
[Collection Pamplemousse]

Rémy Simard
Super Boris

ISBN: 978-2-922585-35-3
Format: 12,7 x 17,8 cm souple
Pagination: 68
Impression: bichromie
Couverture: quadrichromie
PVP: 12,95 $ | 9 €
[Collection Pamplemousse]

Il fonde les éditions Kami-Caze en 1986. Douze ans plus tard, son parcours de combattant est pour nous une source d'inspiration quand nous créons notre maison d'édition. Que Rémy Simard se joigne à La Pastèque et nous confie ses bandes dessinées fait naître en nous une immense reconnaissance.

« Une bande dessinée surprenante »

— Communication-jeunesse —

Le petit Boris voudrait bien se rendre à l'école, mais il ne se sent pas bien. Malgré tout, il va courageusement en classe et, aussitôt arrivé, le voilà malade! Pauvre Boris, une drôle de journée qui finira à l'hôpital!

Mais pourquoi lui donner le surnom de Méchant Boris? Chaque jour et ce, pendant plusieurs mois, ce sympathique personnage de Rémy Simard a fait les beaux jours des journaux *La Presse* et *Le Quotidien* en format strip!

« Ce livre muet demandera à l'adulte d'avoir le *ad lib* facile et l'acteur, pas trop loin sous la peau. À partir de là, c'est du plaisir garanti. »

— La Presse —

Pour sa nouvelle aventure, Boris veut devenir un super-héros! Vêtu de son costume, une cape sur les épaules et son caleçon sur la tête, Boris s'apprête à livrer une bataille sans merci contre le crime pour notre plus grand plaisir! Tremblez, voleurs et criminels!

Rémy Simard est né en 1959 à Roberval tout à fait par hasard. Après des études en n'importe quoi, il se lance en illustration. Ne sachant faire autre chose, il se voue à la bande dessinée et au livre pour la jeunesse.

Rémy Simard
Boris tome 1,2,3,4

[Tome 1] **ISBN**: 978-2-922585-46-9
[Tome 2] **ISBN**: 978-2-922585-55-1
[Tome 3] **ISBN**: 978-2-922585-63-6
[Tome 4] **ISBN**: 978-2-922585-79-7 [À Paraître en 2010]
Format: 20,3 x 22,9 cm souple avec rabats
Pagination: 56
Impression: bichromie
Couverture: bichromie
PVP: 16,95 $ | 12 €

« Une bonne bouffée d'air frais plutôt rafraîchissante »

— BD séléction —

« Simple, moderne et efficace. Du grand Art ! »

— Klarelijn international —

Boris est un petit garçon qui ne sait pas encore marcher. Ce qu'il aime par-dessus tout, c'est débouler l'escalier, imaginer comment il sera quand il sera plus grand et voir les têtes, comme des femmes, sa mère en tête, comme des bars ambulants. Son environnement est essentiellement composé de sa sœur dont le passe-temps favori est de placer son petit frère dans des situations impossibles, de son père resté un grand enfant, et de Paulette, la fleur douée de conscience.

Voici une merveilleuse occasion de relire toutes les frasques du petit Boris déjà publiées dans le journal *La Presse* et *Le Quotidien* pendant plusieurs mois.

Nicolas Robel
87 blvd des Capucines

ISBN : 978-2-922585-16-2
Format : 22,1 x 30,5 cm souple
Pagination : 56
Impression : bichromie
Couverture : bichromie
PVP : 20,95 $ | 15 €

« …un superbe récit en deux couleurs aux accents oniriques… »

— BD Séléction —

« …ce livre est un coup de maître de La Pastèque. On ne peut que saluer l'audace des choix graphiques endossés ici. L'étrange bichromie alimente le climat du récit. »

— Radio-Canada —

Manuel et Isrine cherchent un appartement et la visite d'un logement au 87, boulevard des Capucines prend une allure singulière. Isrine devra faire face au traumatisme de son passé pour qu'il cesse de hanter son présent.

Récit poétique et onirique, *87 blvd des Capucines* est une étonnante réflexion sur le désir, l'inconscient et le désenchantement.

Nicolas Robel est né au Québec en 1974, mais il vit en Suisse depuis l'âge de 4 ans. En 1997, il obtient son diplôme en communication visuelle à l'École supérieure des Arts Visuels (ESAV) de Genève. Il travaille à la pige comme graphiste, illustrateur et éditeur au sein de B.ü.L.b grafix + comix. Après avoir été deux fois mis en nomination pour le Prix de la Ville de Genève, catégorie Bande Dessinée, il a reçu, en 2003, le Prix Suisse Jeunesse et Médias pour son livre Le Tigre Bleu.

Nous avons connu Nicolas à Angoulème. D'abord comme éditeur et par la suite comme auteur. Il a un talent extraordinaire pour les deux. À notre grand plaisir.

Nicolas Robel
Joseph

ISBN: 978-2-922585-32-2
Format: 17,8 x 24,1 cm souple
Pagination: 52
Impression: bichromie
Couverture: bichromie
PVP: 14,95 $ | 11 €

« Nicolas Robel voit son craquant *Joseph* réédité, au grand bonheur des amateurs de trait fin et évocateur. »

— Le Soleil —

« Lorsque j'ai eu fini de lire *Joseph* sans verser une larme du tout, du tout, bin je l'ai rangé tout bien comme il faut sur mon étagère, au rayon – livres que j'aime trop bien – . »

— Du9 —

L'histoire d'un garçon qui a de trop grandes mains ou comment un détail amplifié par le regard des uns et les railleries des autres peut faire basculer une existence… ou, à tout le moins, l'influencer.

Joseph parle des angoisses de sa jeunesse qui prennent tant de temps à se cicatriser et il aborde une question plus grave : celle d'une certaine intolérance envers autrui, d'un mal destructeur bien que naïf et enfantin.

Jordan Crane
Col-Dee

ISBN : 978-2-922585-17-9
Format : 12,7 x 17,8 cm souple
Pagination : 88
Impression : bichromie
Couverture : trichromie
PVP : 13,95 $ | 10 €

« ...de ce quotidien banal, le fondateur de l'anthologie de bande dessinée arrive à extraire le meilleur. »

— Voir —

Un petit garçon pense avoir en sa possession un dollar magique qui lui permettra d'acheter un billet de loterie. Il espère pouvoir sortir sa mère de la pauvreté. Jordan Crane explore l'innocence de l'enfance à travers les concours de rots et les petits larcins livrant ainsi un récit d'une grande tendresse.

Plusieurs fois nous sommes allés aux États-Unis dans des petits festivals alternatifs avant que les grosses boîtes ratissent les nombreux talents qui officient là-bas. Des voyages inoubliables. Nous avons rencontré Jordan Crane à Washington et nous voulions faire la version française de *The Clouds Above*, mais les astres se sont alignés autrement...

Jordan Crane est né à Los Angeles en 1973. Éditeur, auteur, graphiste et illustrateur, il est le fondateur de l'anthologie NON. Son dernier livre, *Dans les nuages*, est paru aux éditions Dargaud en 2007.

Mélanie Baillairgé
Bobby

ISBN: 978-2-922585-84-1
[À paraître en 2010]

Un sympathique petit ourson découvre les petites surprises de la vie. Un véritable petit bijou, ce livre s'adresse à un public très jeune et avide d'oursons. *Bobby* va subir une refonte majeure pour 2010. Le livre sera réimprimé dans un nouveau format et aura quelques pages de plus… Un livre complètement nouveau pour Mélanie Baillairgé et son petit Bobby! Rrrgghh!

Mélanie Baillairgé est née en 1974 à Montréal, elle a quitté la métropole pour grandir dans les bois, telle une enfant sauvage, puis est revenue dans la métropole pour terminer son premier quart de siècle. Illustratrice, ses dessins sont parus dans des publications comme le Chicago Tribune, le Wall Street Journal et le magazine Forbes. Elle est la cofondatrice et la directrice artistique de la défunte compagnie de design M. Edgar. En plus de vivre avec ses deux petites filles, toutes ses plantes et ses poissons, Mélanie songe encore à adopter plusieurs toutous et d'autres nounours ainsi qu'à sauver le monde de tous ses trous noirs et de ses crevasses inconnues.

Marie-Pierre Normand
Promenade

ISBN: 978-2-922585-20-9
Format: 12,7 x 17,8 cm souple
Pagination: 56
Impression: bichromie
Couverture: quadrichromie
PVP: 12,95 $ | 9 €
[Collection Pamplemousse]

Totote, une grande curieuse, s'aventure dans la ville à la poursuite d'une banderole surprenante. Un récit plein de magie, cet album de Marie-Pierre Normand est le premier road-movie pour enfant.

Marie-Pierre Normand est née en 1971 à Montréal, ville qu'elle habite toujours. Les différents détours de sa vie l'ont menée à l'illustration. Elle nous offre aujourd'hui son premier livre, Promenade. Quand elle était petite, elle était souvent dans la lune et, encore aujourd'hui, elle laisse promener son esprit vagabond entre les lignes spontanées de ses dessins.

Collectif
L'appareil

ISBN: 978-2-922585-26-1
Format: 21,3 x 24,8 cm cartonné toilé
Pagination: 136
Impression: bichromie
Couverture: bichromie
PVP: 39,95 $ | 29 €

« L'ouvrage le plus ambitieux à être publié par la jeune maison d'édition bouscule bien des recettes éprouvées dans le domaine culinaire. »

— Le Soleil —

« …un ouvrage célébrant une cuisine multiethnique et contemporaine, vivante, vibrante même, mélange de simplicité, de raffinement, d'esthétique et de sobriété. »

— Alain Ducasse —

La réputation de la cuisine québécoise n'est plus à faire. Nombre de jeunes chefs talentueux officient actuellement dans les restaurants de la métropole. Sous la direction de Charles Pariseau, les chefs de neuf grandes tables de Montréal nous proposent un menu adapté en bande dessinée par une équipe de dessinateurs de renom: Jean-François Martin, Isabelle Arsenault, Jochen Gerner, Mélanie Baillairgé, François Ayroles, Rémy Simard, Nicolas Robel, Émile Bravo et Simon Bossé.

Lauréat de sept prix internationaux, L'appareil est le projet le plus audacieux à avoir vu le jour à La Pastèque. Le livre a reçu un concert d'éloges et est devenu une carte de visite remarquable pour notre maison d'édition.

Médaille de bronze Stiftung Buchkunst International Competition Best Bookdesign 2007 Prix Marcel-Couture 2005 Lux 2005 spécial Éditeur Arts Design Annual 2005 - Book Design Concours Grafika - Grand prix 2006 catégorie Livre Graphex 2006 - Prix spécial du jury Prix Alcuin Society 2005 - Mention spéciale du jury dans la catégorie livre de référence

Nos auteurs le savent, nous sommes des amoureux de la nourriture, du vin et des restaurants. L'alimentation est au cœur de notre vie. Il allait de soi de travailler sur un projet autour de la cuisine. L'appareil est jusqu'à présent le projet le plus toqué que nous ayons fait et celui dont nous sommes le plus fiers. Jamais un titre ne nous avait demandé un investissement financier et énergique aussi important. Un échec en librairie et les carottes étaient cuites… Un engouement médiatique sans précédent, de très bonnes ventes et… nous pouvions respirer un peu mieux.

Réal Godbout et Pierre Fournier

Les aventures
de Michel Risque

Comme bien des gens de notre génération, nous avons été des lecteurs assidus de *Croc* au cours de notre jeunesse. Il était inconcevable pour nous de ne plus trouver le travail de Réal Godbout et Pierre Fournier en librairie. Intégrer les titres de ces deux auteurs à notre catalogue allait de soi et c'est aujourd'hui chose faite. C'est un grand honneur pour nous.

Dans une courte histoire de trois pages intitulée *Le Tapis diabolique*, une parodie des héros de la trempe de Bob Morane et de James Bond, Michel Risque fait sa première apparition en 1975. En 1979, les deux auteurs reprennent le personnage dans la revue naissante *Croc*. Il y deviendra l'un des personnages vedettes de la revue et l'un des héros mythiques de la bande dessinée québécoise. Trois albums de Michel Risque paraissent au cours des années 80 aux Éditions Ludcom : *Le Savon maléfique*, *Michel Risque en vacances* et *Cap sur Poupoune*. Épuisée depuis plusieurs années, cette série est présentée comme l'un des « chefs-d'oeuvre indisponibles » dans *L'Année de la Bande Dessinée 1985-86* !

Réal Godbout: Dessinateur et coscénariste des séries *Michel Risque* et *Red Ketchup*, Réal Godbout est né à Montréal en 1951. Atteint dès l'enfance par le virus de la bande dessinée, il commence à dessiner en 1969 après quelques sessions d'études sans conséquences. C'est au cours des années 70 que Réal Godbout deviendra l'un des chefs de file de la « renaissance » de la bande dessinée québécoise, cette période d'effervescence que l'on a souvent appelée « Le printemps de la BDQ ».

Pierre Fournier: Scénariste, dessinateur et ardent promoteur de la bande dessinée québécoise, Pierre Fournier est né à Montréal en 1949. C'est dans le premier numéro de Croc, la nouvelle revue fondée par Jacques Hurtubise en octobre 1979, que Pierre Fournier, sous le pseudonyme de Lucien, prend en main les destinées de Michel Risque. Parallèlement à sa carrière de scénariste et de dessinateur de bandes dessinées, Pierre Fournier oeuvre également dans le domaine de la télévision.

R. Godbout/P. Fournier
Le savon maléfique

[Les aventures de Michel Risque]
ISBN: 978-2-922585-28-5
Format: 20,3 x 26,7 cm souple
Pagination: 120
Impression: noir et blanc
Couverture: quadrichromie
PVP: 18,95 $ | 14 €

« Et c'est vraiment fantastique qu'un quart de siècle après sa mort, les éditions de La Pastèque rendent à nouveau disponibles les aventures de Michel Risque. »

— Ici —

« Longue vie à Michel Risque, longue vie à La Pastèque. Un album aux six mois : une nouvelle raison d'exister. »

— La Presse —

On a les héros qu'on mérite. Et notre époque mérite Michel Risque. L'aventure lui tombe dessus comme la misère sur le pauvre monde. Connaissez-vous beaucoup de gens qui, dans les pages d'un même album, vont à Bornéo, à Moscou, s'adonnent aux échecs, deviennent amnésiques et jouent au golf ?

R. Godbout/P. Fournier
Michel Risque en vacances

[Les aventures de Michel Risque]
ISBN: 978-2-922585-31-5
Format: 20,3 x 26,7 cm souple
Pagination: 88
Impression: noir et blanc
Couverture: quadrichromie
PVP: 18,95 $ | 14 €

Tremblez, criminels de tout acabit. Dormez en paix, veuves et orphelins de tous les pays. Michel Risque est de retour! Oui Michel Risque, le héros québécois qui promène sa mâchoire carrée, son sourire triangulaire et sa silhouette rectangulaire à travers l'Aventure sous toutes ses formes, revient dans nos parages pour présenter son deuxième album.

On se souviendra que, à la fin du *Savon maléfique* (toujours disponible dans les meilleures librairies, et même dans quelques mauvaises), nous avions quitté Michel au moment où il semblait condamné à finir ses jours dans un coin perdu de la Sibérie. Était-ce là la fin du périple de notre globe-trotter préféré? Que non!

Fidèle à sa réputation, le héros rebondit deux fois plus fort et, faisant fi des pires embûches, il entreprend dans *Michel Risque en vacances* la conquête de la Lune, de la Floride, et même celle d'un coeur légèrement obèse. Lisez le recueil: vous aussi, vous tomberez sous le charme de Michel Risque - Pierre Huet

R. Godbout/P. Fournier
Cap sur Poupoune

[Les aventures de Michel Risque]
ISBN : 978-2-922585-34-6
Format : 20,3 x 26,7 cm souple
Pagination : 80
Impression : noir et blanc
Couverture : quadrichromie
PVP : 18,95 $ | 14 €

Michel Risque est non seulement drôle, pathétique, universel et éternel, mais il est surtout l'oeuvre du tandem Godbout-Fournier, la meilleure équipe de scénaristes de la BD d'ici. Il est aussi l'oeuvre d'un grand dessinateur et, par la qualité de son dessin, Réal Godbout rejoint les grands de la BD que sont Gotlib, Reiser, Franquin, Robert Crumb...

« Ces planches de Michel Risque nous plongent dans un univers unique, totalement éclaté et ludique, un univers jouissif qui amuse notre oeil ! On n'a pas seulement envie de lire Michel Risque, on a aussi le goût de le relire, comme on se plaît à relire Tintin ou Gaston... »

— Claude Meunier —

R. Godbout/P. Fournier
Le droit chemin

[Les aventures de Michel Risque]
ISBN : 978-2-922585-45-5
Format : 20,3 x 26,7 cm souple
Pagination : 72
Impression : noir et blanc
Couverture : quadrichromie
PVP : 16,95 $ | 13 €

Pauvre Michel, sa chère Poupoune est devenue milliardaire ! Notre héros, aussi orgueilleux que benêt, part de son côté faire sa propre fortune, histoire de prouver qu'il est un homme. Comme tous les projets de Michel Risque échouent toujours, sa séparation est évidemment ratée. Le couple est vite réuni et aussitôt plongé au coeur de l'Amérique la plus profonde.

Nos deux tourtereaux, leurs têtes mises à prix par un «preacher» sanguinaire, le Klan sur les talons et les balles qui sifflent à leurs oreilles, ils traversent les États-Unis de long en large, d'embûche en surprise, de Vegas à Dallas et de mal en pis.

Tout le gratin dysfonctionnel de la série est au rendez-vous : le mononcle Ludger, arnaqueur et bon vivant, le reporter-justicier, Bill Bélisle, défenseur grognon de la veuve et de l'orphelin et, attention tout le monde, l'agent fou, très fou, Red Ketchup, véritable ange de la mort en complet bleu poudre.

Un authentique classique de la bd québécoise dont les aventures sont enfin rassemblées dans un album, *Le Droit Chemin* est un parcours méandreux où les personnages se dépassent, l'aventure palpite et le lecteur se bidonne !

R. Godbout/P. Fournier
Destination Z

[Les aventures de Michel Risque]
ISBN: 978-2-922585-47-6
Format: 20,3 x 26,7 cm souple
Pagination: 76
Impression: quadrichromie
Couverture: quadrichromie
PVP: 21,95 $ | 16 €

R. Godbout/P. Fournier
L'intégrale

[Les aventures de Michel Risque]
ISBN: 978-2-922585-79-7
[À paraître en 2010]

Une véritable intégrale verra le jour à la fin
de l'année 2010. On retrouvera réunies sous une
même couverture cartonnée les aventures
complètes de Michel Risque.

Michel Risque, notre tarzan de banlieue,
se retrouve - et se perd aussitôt! - au coeur de la jungle
africaine avec un club de l'âge d'or sous sa responsabilité.
Quand Red Ketchup, plus sanguinaire que jamais, débarque
dans le coin, les choses se compliquent drôlement. L'agent
provocateur concocte une guerre civile au profit de sombres
intérêts et le paradis touristique bascule dans la violence.
Destination Z, c'est l'endroit précis où convergent l'aventure
avec un grand A et la folie avec le grand Michel Risque.
La distribution comprend son adorée Poupoune et l'inénar-
rable Monsieur Blais, un septuagénaire qui a un rendez-
vous émouvant avec son destin.
La table est mise pour l'ultime affrontement,
haut en couleur, des deux héros si opposés: Michel Risque,
le gentil matamore à la mâchoire carrée, contre Red
Ketchup, le monstre incontrôlable du FBI!

R. Godbout/P. Fournier
La vie en rouge

[Red Ketchup/tome 1]
ISBN : 978-2-922585-53-7
Format : 21,6 x 27,9 cm cartonné toilé
Pagination : 48
Impression : quadrichromie
Couverture : quadrichromie
PVP : 18,95 $ | 14 €

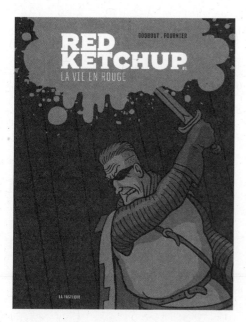

« L'exceptionnelle qualité de ces bandes, fabriquées par un duo qui paraît en osmose, relève de l'intelligence du scénario, toujours bouillonnant d'idées nouvelles, mélangeant polar, action, parodie, satire et même fantastique, et de la qualité du dessin, détaillé et toujours réaliste, de Réal Godbout »

— La Presse —

Increvable, implacable et impitoyable, Red Ketchup, véritable Godzilla en habit bleu poudre, part en guerre contre tout ce qui bouge et, tant pis si quelqu'un se trouve sur son chemin...

La vie en rouge, inédit en album, est le récit explosif de ses origines troubles, de son enfance cruelle, de son adolescence tordue et de sa première grande aventure. Red Ketchup est recruté et téléguidé par l'Ordre des Templiers qui voit en lui la réincarnation du légendaire chevalier sanguinaire que fut Wenceslas Le Rouge. Et ce n'est pas tout ! Vous pourrez, entre autres, assister à quelques massacres, à une attaque par des terroristes armés d'une bombe atomique et à un assassinat politique à Dallas. En somme, une aventure typique de Red Ketchup !

Issu de l'univers débridé des *Aventures de Michel Risque*, Red Ketchup s'est vite imposé comme le personnage le plus couru de la BD québécoise. Aujourd'hui introuvables, éparpillées dans différents magazines, les aventures de l'agent fou du FBI feront désormais le bonheur de milliers de lecteurs. Au fil des aventures, nous verrons Red Ketchup se mesurer à des adversaires aussi redoutables que la plantureuse espionne Olga Dynamo, un certain savant fou qui rêve d'implanter un quatrième Reich, Elvis Presley (toujours vivant !), une armée de pingouins et... lui-même : Red Ketchup cloné et multiplié cent fois ! De quoi frémir ! Et ce n'est là qu'un modeste aperçu des tribulations de l'agent déjanté.

R. Godbout/P. Fournier
Kamarade Ultra

[Red Ketchup/tome 2]
ISBN: 978-2-922585-61-2
Format: 21,6 x 27,9 cm cartonné toilé
Pagination: 48
Impression: quadrichromie
Couverture: quadrichromie
PVP: 18,95 $ | 14 €

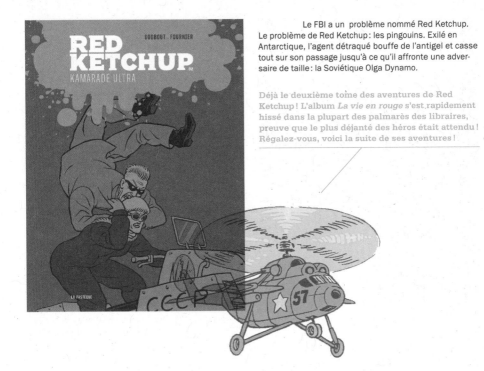

Le FBI a un problème nommé Red Ketchup. Le problème de Red Ketchup: les pingouins. Exilé en Antarctique, l'agent détraqué bouffe de l'antigel et casse tout sur son passage jusqu'à ce qu'il affronte une adversaire de taille: la Soviétique Olga Dynamo.

Déjà le deuxième tome des aventures de Red Ketchup! L'album *La vie en rouge* s'est rapidement hissé dans la plupart des palmarès des libraires, preuve que le plus déjanté des héros était attendu! Régalez-vous, voici la suite de ses aventures!

R. Godbout/P. Fournier

Red Ketchup contre Red Ketchup

[Red Ketchup/tome 3]
ISBN: 978-2-922585-73-5
Format: 21,6 x 27,9 cm cartonné toilé
Pagination: 48
Impression: quadrichromie
Couverture: quadrichromie
PVP: 18,95 $ | 14 €

R. Godbout/P. Fournier

Red Ketchup s'est échappé !

[Red Ketchup/tome 4]
ISBN: 978-2-922585-87-2
Format: 21,6 x 27,9 cm cartonné toilé
Pagination: 48
Impression: quadrichromie
Couverture: quadrichromie
PVP: 18,95 $ | 14 €
[À paraître en 2010]

Pour instaurer le quatrième Reich, un savant fou sème la terreur aux quatre coins du monde. Son arme de destruction massive: Red Ketchup, multiplié par clonage. Qui peut arrêter cette armée de cauchemar? Red Ketchup, le vrai, part en guerre contre lui-même et il ne prend pas de prisonniers !

Jeu de massacre sur fond de carnage, l'agent enragé a enfin trouvé un adversaire à sa mesure! Voici le troisième tome des aventures de Red Ketchup !

Fermin Solis
Les jours
les plus longs

ISBN: 978-2-922585-53-7
Format: 19 x 25,4 cm souple
Pagination: 48
Impression: bichromie
Couverture: bichromie
PVP: 14,95 $ | 11 €

Le bricolage, le western, l'adolescence punk, la honte d'avoir dessiné une femme nue, les après-midi passés chez sa grand-mère à découper des bandes dessinées et les conversations avec les amis... Fermin Solis partage ses souvenirs de jeunesse avec une finesse et une vérité qui rappellent le travail de Michel Rabagliati.

Fermin Solis est un jeune illustrateur espagnol auteur de plusieurs bandes dessinées. Il vit actuellement à Caceres en Espagne.

Pascal Blanchet
La fugue

ISBN : 978-2-922585-30-8
Format : 15,2 x 20,3 cm souple avec rabats
Pagination : 136
Impression : bichromie
Couverture : bichromie
PVP : 24,95 $ | 18 €

« La fugue émeut et émerveillera quiconque avec une facilité déconcertante. »

— Le Soleil —

« Chef-d'oeuvre. »

— Le Libraire —

En hommage à ses grands-parents zazous et jazzophiles, Pascal Blanchet a mis leur vie en images avec un sens inégalé du rythme. À travers les souvenirs d'un pianiste de jazz, c'est l'histoire d'une génération qui est finalement racontée. La génération sacrifiée par la Seconde Guerre mondiale, récompensée par les trente glorieuses et qui, aujourd'hui, s'éteint sans bruit. *La fugue*, une petite pièce en hommage à tous les grands-parents, rappelle que ces derniers ont aussi eu trente ans et toute la vie devant eux.

La fugue a remporté le Bédélys Québec 2005 qui récompense le meilleur album québécois de l'année. Le livre a aussi été sélectionné dans l'Illustration Annual de Communications Arts dans la catégorie Livre et a été finaliste aux prix Expozine.

Pascal Blanchet est né à Trois-Rivières en 1980. Il manifeste un intérêt marqué pour le design du XXᵉ siècle, l'architecture et le jazz. Autodidacte, il réalise des illustrations pour des journaux et des magazines américains et canadiens. Il a notamment travaillé pour Penguin Book, The San Francisco Magazine, The New Yorker et le National Post.

La rencontre avec Pascal Blanchet est due à une suite mémorable d'incidents. Pascal Blanchet n'a jamais lu de bandes dessinées. On peut même dire que ce n'est pas sa tasse de thé. Et ça nous plaît comme ça.

Pascal Blanchet
Rapide-Blanc

ISBN: 978-2-922585-43-3
Format: 17,8 x 22,2 cm souple
Pagination: 156
Impression: bichromie
Couverture: bichromie
PVP: 26,95 $ | 20 €

« **Tant du point de vue graphique que narratif, Blanchet continue de surprendre.** »

— Le Libraire —

« **Dessin soigné, précis, gracieux… Quelle touche il a, ce jeune artiste…** »

— Elle Québec —

Le village de Rapide-Blanc se trouve aux abords de la rivière Saint-Maurice à côté d'un barrage hydroélectrique. À l'époque, avec sa centaine d'habitants, ce «village de compagnie» avait été érigé par la Shawinigan Water and Power à l'intention des ouvriers de l'entreprise. Isolés en forêt, les gens devaient donc habiter sur place. On avait construit une église, une petite station de ski, un magasin général…, bref, c'était un véritable village en miniature.

Dans les années soixante-dix avec l'arrivée de l'automatisation, le village a été démantelé. Aujourd'hui, il n'y reste que sept ou huit maisons en brique. Un village fantôme, comme on en trouve des dizaines sur le bord des rivières du Nord québécois. Un sujet en or pour Pascal Blanchet!

Rapide-Blanc a été nominé aux Bédélys Québec 2006, au Festival de la BD francophone de Québec 2007 et aux Eisner Awards. De plus, il a reçu une mention spéciale du Prix Marcel-Couture 2007.

Rapide-Blanc évoque, bien entendu, la chanson du même titre écrite par Oscar Thiffault en 1954. Pourtant, Rapide-Blanc c'est bien plus qu'une chanson folklorique!

Pascal Blanchet
Bologne

ISBN : 978-2-922585-48-3
Format : 17,8 x 22,2 cm souple
Pagination : 80
Impression : bichromie
Couverture : bichromie
PVP : 16,95 $ | 12 €

Pascal Blanchet
Nocturne

ISBN : 978-2-922585-69-8
[À paraître en 2010]

« Le texte habile et maîtrisé s'allie au graphisme pour porter un conte tragique à la fantaisie décalée qui rappelle le monde du Dr Seuss. »

— Le Libraire —

Dans un petit village sis au sommet d'un pic rocheux, nous assistons à un conte en trois actes symphoniques ! Tout en musique et avec des accents angoissants, cette plaquette sur l'étrange destin d'un boucher et d'un village vous enchantera.

Bologne a remporté deux prix Lux en 2007 : catégorie Livre, bande dessinée, roman graphique et Grand prix de l'illustration. Il a aussi été nominé aux Joe Shuster Awards 2007 dans la catégorie Outstanding Canadian Comic Book Cartonnist.

Un nouveau projet pour le plus casse-gueule de nos auteurs.

Rui Tenreiro
Le merle

ISBN : 978-2-922585-33-9
Format : 16,5 x 22,9 cm souple
Pagination : 48
Impression : bichromie
Couverture : bichromie
PVP : 14,95 $ | 11 €

« Oeuvre forte au souffle tranquille et à l'architecture singulière [...] Tenreiro a un trait qui se démarque de la vaste majorité de ses collègues et le recours à d'intrigantes esquisses entrecoupant le récit font du *Merle* un album atypique et d'une grande délicatesse, tant dans le propos que dans la forme. »

— Le Soleil —

Le Merle est un livre qui révèle les états d'âme d'un illustrateur à la recherche de travail. En combinant la bande dessinée et l'illustration avec des dessins tirés du carnet de croquis du personnage principal, Rui Tenreiro parvient à trouver une trame narrative originale et imagée.

Rui Tenreiro est né à Maputo au Mozambique en 1979 où il a vécu jusqu'à 14 ans, puis ce fut le départ avec sa famille. Après quelques déménagements, il s'est fixé à Oslo en Norvège où il travaille comme illustrateur. Ses études incluent un diplôme en direction artistique et un baccalauréat en illustration. Il a déjà travaillé dans le monde de la publicité comme directeur artistique et comme animateur.

Rares sont les manuscrits qui nous ont frappés à ce point. Après *La Fugue* de Pascal Blanchet, il s'agissait seulement du deuxième auteur dont nous acceptions de publier un travail reçu par la poste,

Rui Tenreiro
La célébration

ISBN: 978-2-922585-71-1
Format: 22,9 x 29,2 cm cartonné toilé
Pagination: 112
Impression: quadrichromie
Couverture: quadrichromie
PVP: 24,95 $ | 18 €

Pour son deuxième livre à paraître à La Pastèque, Rui Tenreiro se penche sur les légendes issues du shintô et de la mythologie japonaise et sur les Tengu, des esprits et des créatures qui côtoient les humains pour le meilleur et pour le pire.

La célébration est un livre surprenant, dont la relecture engendrera de nouvelles pistes de compréhension et d'étonnement...

Émile Bravo et Jean Regnaud
Ivoire

ISBN: 978-2-922585-23-0
Format: 19,1 x 25,4 cm souple
Pagination: 40
Impression: bichromie
Couverture: bichromie
PVP: 16,95 $ | 12 €

« Bravo et Regnaud pastichent avec brio et rétro les récits d'aventures coloniales qui ont fait les belles heures du magazine *Spirou* dans les années 60. Ça s'appelle *Ivoire* et, en bichromie, c'est très joliment dessiné. »

— Le Devoir —

Ivoire fut publié aux éditions Magic Strip dans la collection Atomium il y a 16 ans. Le succès commercial d'un tel album était impossible à l'époque, mais il a connu un véritable succès d'estime dès sa sortie. Émile Bravo a roulé sa bosse depuis, surtout avec *Jules* publié chez Dargaud. Jean Regnaud a, quant à lui, été un peu plus silencieux dans le petit monde de la bande dessinée.

La réédition d'*Ivoire* était en chantier depuis un bon moment à la Pastèque. Quelques retouches, dont la bichromie, ont été apportées sous la supervision de Pascal Blanchet.

Ivoire garde toujours sa truculence après toutes ces années. Cette histoire de contrebande conserve son regard noir et sans concession qui souligne les pires travers de l'homme. Le tout est soutenu par un dessin d'une grande naïveté.

Dans un petit format et en peu de pages, on se dit qu'on ne peut pas raconter une saga. Mais Regnaud et Bravo ont fait un pari et l'ont tenu : en trente pages, ils peuvent raconter une histoire terrible.

À redécouvrir de toute urgence !

Émile Bravo est né en 1964. Il fonde en 1995 l'atelier des Vosges en compagnie de Frédéric Boilet, David B., Christophe Blain et Joann Sfar. Mais c'est surtout grâce à la série Jules qu'Émile Bravo s'est fait connaître. Pour cette série, il a obtenu le Prix Goscinny du meilleur jeune scénariste lors du Festival d'Angoulême 2002.
Au cours des dernières années, *Jean Regnaud* a trimballé des caddies à la sortie des supermarchés, a beuglé du rock devant des paysans, a animé des émissions de radio vraiment débiles, a fait une BD avec Émile Bravo, a posé du carrelage et a bricolé des plafonds, a planté des chênes rouges dans les Landes et a fait bouffer des données aux ordinateurs.

Jocelyn Houde et Marc Richard

Les derniers corsaires

ISBN : 978-2-922585-43-3
Format : 22,2 x 29,8 cm souple
Pagination : 64
Impression : quadrichromie
Couverture : quadrichromie
PVP : 19,95 $ | 15 €

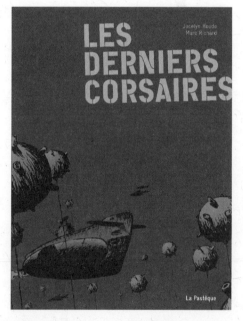

« L'authenticité et la maturité qui se dégagent des *Derniers Corsaires* trahissent une très bonne connaissance du contexte historique, mais aussi des techniques narratives en bande dessinée. »

— Le Soleil —

« Une lecture réjouissante. »

— La Presse —

Durant les six années qu'a duré la bataille de l'Atlantique, les puissances de l'Axe perdirent plus de 700 U-boots et 32 000 marins, tandis que les Alliés perdirent plus de 3 000 navires et 40 000 marins. La grande majorité des pertes infligées aux Alliés étaient des navires marchands ainsi que les marins et les passagers civils qui se trouvaient à bord.

Récit historique d'une rare qualité. *Les derniers corsaires* est un véritable roman d'aventures soutenu par un scénario original et un dessin d'une grande virtuosité.

Grand amateur des romans polaires de Jules Verne, de l'oeuvre de Jean Ray et de la Seconde Guerre mondiale, <u>Jocelyn Houde</u> a publié *Panzer*, une série de bandes dessinées d'aventures qui ont pour théâtre ce conflit : *La patrouille des 7* (1998), *Périls dans la jungle* (1999) et *L'île des maîtres du monde* (2005). Jocelyn Houde est décédé en 2007.

Passionné comme Jocelyn Houde par la Seconde Guerre mondiale, de même que par l'Antiquité tardive, les livres de Jean Raspail et de Jean Marcel, <u>Marc Richard</u> est un géographe qui se consacre à la toponymie. Il poursuit des recherches sur le génie du lieu (l'importance, la singularité d'un lieu) et la création de noms et de poèmes géographiques.

Collectif
Et vlan !

ISBN : 978-2-922585-38-4
Format : 19 x 25,4 cm souple avec rabats
Pagination : 64
Impression : quadrichromie
Couverture : bichromie
PVP : 23,95 $ | 16 €

« …on peut affirmer que *Et Vlan* ! est un petit bijou »

— Le Libraire —

Les éditions de la Pastèque se sont associées à Juste pour rire pour la publication d'un livre où les textes de trois humoristes sont adaptés en bandes dessinées par six illustrateurs québécois. Les bédéistes sont Simon Bossé, Iris, Éva Rollin, Rémy Simard, Siris et Leif Tande et les humoristes, Julie Caron, Guy Nantel et Laurent Paquin.

Il s'agit du tout premier livre coédité avec Juste pour rire. Ce collectif innovateur et rafraîchissant, à l'instar de celui de *L'Appareil*, a su marier deux genres facilement identifiables mais trop souvent méconnus.

Martin Villeneuve et Yanick Macdonald
Mars et Avril/tome 1

ISBN : 978-2-922585-40-7
Format : 24,1 x 27,9 cm souple avec rabats
Pagination : 112
Impression : quadrichromie
Couverture : quadrichromie
PVP : 29,95 $ | 22 €
[En coédition avec Diesel –Sid-Lee–]

Il y a quatre ans, le photo-roman était brillamment ramené dans l'air du temps avec la parution de *Mars et Avril*, une oeuvre hybride et débridée. Au grand bonheur des lecteurs, La Pastèque et Diesel (Sid-Lee) s'associent pour en offrir la réédition !

Nous sommes en 2022, à l'ère du téléporteur et de la conquête spatiale. La vie de tous les jours n'a apparemment pas changé : l'amour est un truc compliqué, et les gens n'ont pas envie de mourir...

Jacob Obus est un vieux musicien désabusé, adulé pour sa musique sensuelle qu'il interprète à l'aide d'instruments aux formes féminines et conçus par son jeune ami Arthur. Véritable sexe-symbole vieillissant, Jacob cache toutefois un secret : il n'a jamais fait l'amour. Lorsque la photographe Avril se jette à son cou, il est bien forcé d'admettre qu'il ne connaît rien au désir. En marge des efforts d'Avril pour montrer à Jacob les voies du plaisir, se déroule une entrevue trois-délévisuelle menée par Bernard Brel dans un jargon anglo-français avec quatre marsonautes lancés vers la planète Rouge.

Mais voilà que, à peine le pied posé sur Mars, les marsonautes –ainsi qu'Avril, expédiée par accident– perdent tout contact avec la Terre...

Martin Villeneuve: À la fois auteur, réalisateur et designer graphique, Martin Villeneuve est un jeune artiste polyvalent et talentueux. Il a travaillé comme directeur artistique chez Diesel, particulièrement pour le Cirque du Soleil. Le premier tome de Mars et Avril lui a valu un accueil enthousiaste des médias et du public.

Yanick Macdonald: Après une formation collégiale en arts visuels terminée en 1991, Yanick Macdonald s'est consacré à la photographie. Brillant autodidacte, il a travaillé en tant que photographe pour diverses maisons de productions. Depuis une dizaine d'années, c'est aussi à l'univers du théâtre que son nom est souvent associé.

Martin Villeneuve et Yanick Macdonald
Mars et Avril/tome 2
À la poursuite du fantasme

ISBN: 978-2-922585-41-4
Format: 24,1 x 27,9 cm souple avec rabats
Pagination: 144
Impression: quadrichromie
Couverture: quadrichromie
PVP: 36,95 $ | 27 €
[En coédition avec Diesel –Sid-Lee–]

« Une version revue et drôlement améliorée du quétaine photo-roman. »

— Entre les Lignes —

« Réalisation graphique soignée, folie éditoriale certaine, le livre va au-delà du divertissement, proposant une lecture touchante de nos envies d'ailleurs et des obstacles au désir, et plaira sans conteste à tous les spationautes de salon. »

— Voir —

Le titre de ce second volet traduit sans équivoque la démarche artistique de ses concepteurs, car il s'agit bien de la poursuite du travail déjà amorcé. Le premier tome nous avait laissés sur une note sombre: Jacob, musicien vieillissant, renonçait à la musique, tandis que sa muse, Avril, se retrouvait par un malencontreux hasard sur la planète Mars... Si *Mars et Avril* traitait du paradoxe et du désir, La poursuite du fantasme s'articule autour du rêve et de la quête. Jacob veut ramener son âme soeur sur Terre. Les amours fusionnelles, l'inconscient collectif, les dimensions parallèles et la fuite du temps forment la trame narrative du récit appuyée par le rythme engageant des images.

La Pastèque désirait explorer de nouveaux horizons éditoriaux. En publiant les deux tomes de *Mars et Avril* en collaboration avec Diesel, nous élargissons notre répertoire tout en préservant notre ligne éditoriale distincte.
Une adaptation pour le grand écran est en cours! Le film est réalisé par Martin Villeneuve et produit par Fake Studio.

Martin Matje et Jean-Claude Götting
Rebecca

ISBN : 978-2-922585-45-2
Format : 19 x 14 cm souple
Pagination : 48
Impression : bichromie
Couverture : bichromie
PVP : 9,95 $ | 7 €

Rebecca aime les livres. Tous les livres. Avec une légère préférence pour les aventures de Majestia et l'oeuvre de Patricia Caduck. Martin, son frère, aime les livres. À condition qu'ils restent bien rangés dans la grande bibliothèque. Grégoire, le copain de Martin, aime les livres. Enfin ça dépend des jours…

La série, inaugurée dans *Je Bouquine* sous le titre *Rebecca bouquine* puis publiée en 1999 chez PMJ, est épuisée depuis longtemps. Foncièrement drôle, sans tomber dans la moralisation, ce livre fait le tour des comportements des lecteurs et des non-lecteurs. Agréable, intelligent et attrayant pour tous les publics, Rebecca a tout pour plaire.

Martin Matje est né à Paris en 1962. Ingénieur de formation, il a également poursuivi une carrière d'auteur-illustrateur. Outre ses livres pour enfants, il a réalisé de nombreuses illustrations pour la presse française mais aussi pour la presse américaine dont le prestigieux New Yorker. L'auteur est décédé en 2004.

Jean-Claude Götting est né à Paris en 1963. Après des études à l'École supérieure des arts appliqués Duperré à Paris, il réalise ses premiers travaux de bande dessinée avec le fanzine PLG, puis chez Futuropolis, avant de se consacrer essentiellement à l'illustration pour la presse et pour l'édition. 2004 a été l'année de son retour à la bande dessinée avec La Malle Sanderson publiée par Delcourt.

Martin Matje a vécu un certain temps au Québec. Son frère, Jean-François Martin, nous a gentiment mis en contact pour que nous puissions continuer à défendre le talent de cet illustrateur, son livre étant indisponible à l'époque.

Amandine Giraudo
Gourmandine et le monde des gâteaux

ISBN: 978-2-922585-52-0
Format: 15,2 x 21,1 cm souple
Pagination: 68
Impression: quadrichromie
Couverture: quadrichromie
PVP: 14,95 $ | 12 €

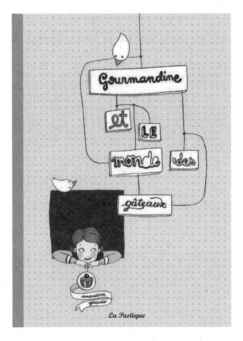

« Avec ce premier album, Amandine Giraudo offre une fable moderne et douce-amère, aux couleurs de la fraise et du chocolat. »

— Le Libraire —

Le monde des gâteaux est une sorte d'échappatoire aux soucis féminins, un petit cocon entre rires et sucreries. Et pour les hommes, existe-t-il aussi une dérobade?

Le premier livre d'une jeune auteure française au talent sans limites!

Amandine Giraudo est née à Paris en 1981 au sein d'une famille heureuse. Elle doit son prénom aux origines vietnamiennes de son père à qui elle doit ses yeux en amande. De sa mère, elle héritera d'un petit moulin à paroles dans la gorge et d'une touche de magie dans les doigts.
Petite, Amandine Giraudo déménage souvent. Elle s'ennuie un peu à l'école, mais les cours de dessin sont pour elle de véritables bouffées d'oxygène! Quand elle commence ses études en arts, tout prend son sens et devient beaucoup plus facile.
En 2006, Amandine Giraudo est diplômée de l'École supérieure des arts décoratifs de Strasbourg, ville où elle vit actuellement.
C'est grâce à son amoureux voyageur qu'elle atterrit à Montréal où elle rencontre La Pastèque qui édite aujourd'hui son tout premier livre pour enfants.

Marianne Dubuc
La mer

ISBN: 978-2-922585-51-3
Format: 12,7 x 17,8 cm souple
Pagination: 96
Impression: bichromie
Couverture: bichromie
PVP: 12,95 $ | 9 €
[Collection Pamplemousse]

Un chat et un poisson rouge. Un chat qui a faim et un poisson qui ne veut pas servir de repas...
Rien qui ne sorte de l'ordinaire, à moins que pour échapper à son prédateur, le poisson ne parvienne à retrouver une certaine issue...
La mer est le premier livre à la Pastèque de cette jeune finissante en Arts graphiques de l'Université du Québec à Montréal.

La mer a été récompensé d'un Prix Lux 2007 dans la catégorie Illustration Livre d'enfant/Livre scolaire.

Marianne Dubuc est à l'origine d'une dizaine de livres pour enfant, de trois succès de librairie et d'une encyclopédie. Avec les ventes de son disque éponyme, elle compte s'acheter un château de cristal et y vivre paisiblement avec sa grand-mère, ses 22 chats et son canari.

Lilli Carré
Les histoires de Woodsman Pete

ISBN: 978-2-922585-59-9
Format: 14,6 x 17,8 cm
Pagination: 78
Impression: une couleur
Couverture: quadrichromie
PVP: 12,95 $ | 9 €

« Les dessins de Lilli Carré, Californienne aujourd'hui installée à Chicago, pourraient bien se faire une place de choix s'ils continuent sur cette lancée si personnelle. »

— Quartier Libre —

« Dans la famille des auteurs de poésie graphique, bienvenue à Lilli Carré. »

— BoDoï —

Ce livre est une suite de vignettes et d'histoires à propos d'un bûcheron solitaire, mais sociable. Il a sa propre vision de la vie et du monde extérieur. Pete entretient des relations avec les objets inanimés qui l'entourent et il médite à haute voix devant un public décédé, notamment sa peau d'ours, Philippe...

Premier livre en français pour cette illustratrice installée à Chicago.

Lilli Carré est née à Los Angeles en 1983. Elle fréquente le School of the Art Institute où elle passe la majeure partie de son temps à réaliser des courts-métrages d'animation. Elle a publié à compte d'auteur deux mini-bandes dessinées: Welcome et Deep Sea Diving. Son premier livre, Tales of Woodsman Pete a été publié par Top Shelf en 2006. Elle habite présentement Chicago avec son chat flatulent.

Toniduran

Trois tribulations de Jules Citron

ISBN : 978-2-922585-60-5
Format : 12,7 x 17,8 cm
Pagination : 72
Impression : bichromie
Couverture : bichromie
PVP : 12,95 $ | 9 €
[Collection Pamplemousse]

Après un premier livre publié aux Éditions Didier, *Il était un petit navire*, l'auteur récidive à la Pastèque avec un ouvrage pour la Collection Pamplemousse. Trois petites histoires qui suivent un joli fil narratif et montrent un chanteur qui semble éprouver des difficultés à trouver un public, un téléphone dont le fil semble bien long et un marin aux prises avec quelques problèmes...

Un charmant petit livre à lire avec les tout-petits.

Après des études en lettres, une formation en infographie et en multi-média et deux ans passés comme graphiste au sein d'une agence de communication, <u>Toniduran</u> souhaite aujourd'hui approfondir les relations qui unissent un texte et une image. Pour créer ses univers graphiques, il utilise la gravure sur linoléum, l'encre d'imprimerie, la gouache, les papiers collés, la typo au plomb et les animations vectorielles.
Par l'interaction et le métissage entre toutes ces techniques, il cherche à donner naissance à des images personnelles, capables de trans-mettre un message tout en évitant la redondance.

Paul Bordeleau

Culotte de poils

[Faüne/tome 1]
ISBN : 978-2-922585-57-5
Format : 15,2 x 22,9 cm cartonné
Pagination : 80
Impression : quadrichromie
Couverture : quadrichromie
PVP : 18,95 $ | 14 €

« Paul Bordeleau livre une bande dessinée au trait vif et sensuel. »

— Voir —

« Le rythme est vif, le dessin, surprenant et les couleurs, soignées et ravissantes. On a déjà hâte au deuxième tome. »

— Le Libraire —

Les Faunes, des créatures mythologiques, passent pour être les fils ou les descendants de Faunus, troisième roi d'Italie qui, disait-on, était fils de Picus ou de Mars et petit-fils de Saturne. Quoique demi-dieux, les Faunes n'étaient pas immortels, mais ils ne mouraient qu'après une très longue existence.

Celui qui se fait appeler Culotte de poils a justement devant lui une nouvelle vie à combler. Un faune peut bien partir à l'aventure, mais encore doit-il braver les obstacles qui menacent son bonheur.

Culotte de poils a été récompensé d'un Prix Lux 2007 dans la catégorie Illustration Livre/Bande dessinée/ Roman graphique.

Originaire de Grande-Rivière, en Gaspésie, Paul Bordeleau vit et travaille à Lac-Delage près de Québec. Illustrateur-pigiste depuis 1988, il obtient un baccalauréat en communication graphique avec concentration en illustration en 1991.
Dès lors, il réalise des projets pour des clients au Québec, au Canada, en Europe et aux États-Unis.
Il est illustrateur-éditorialiste pour l'hebdomadaire Voir (Québec) de 1992 à 2004 et pour le journal La Presse (Montréal) de 2001 à 2002. En 1999 et en 2006, il est finaliste au concours Grafika. Puis en 2007 il remporte le Grand Prix dans la catégorie emballage pièce unique. Sa production donne lieu à plusieurs expositions présentées notamment à Québec, Montréal, Ottawa et Minas (Uruguay).

Faüne, une série de trois tomes, fournit une merveilleuse occasion de constater la vitalité qui anime la bande dessinée québécoise d'aujourd'hui.

Paul Bordeleau
La maison du Faüne

[Faüne/tome 2]
ISBN: 978-2-922585-72-8
Format: 15,2 x 22,9 cm cartonné
Pagination: 80
Impression: quadrichromie
Couverture: quadrichromie
PVP: 18,95 $ | 14 €

Paul Bordeleau
Faüne Tome 3

[Faüne/tome 3] [À paraître en 2010]
ISBN: 978-2-922585-89-6
Format: 15,2 x 22,9 cm cartonné
Pagination: 80
Impression: quadrichromie
Couverture: quadrichromie
PVP: 18,95 $ | 14 €
[À paraître en 2010]

Culotte de poils habite maintenant Pompeï avec sa douce moitié. Des événements graves sont en voie de perturber sa nouvelle vie... Deuxième tome pour cette trilogie fantastique de Paul Bordeleau.

Liniers
Macanudo
tome 1

ISBN: 978-2-922585-58-2
Format: 21,6 x 21 cm cartonné
Pagination: 96
Impression: quadrichromie
Couverture: quadrichromie
PVP: 23,95 $ | 18 €

Tout le monde sait dessiner un chat, tout le monde sait dessiner une petite fille ou un homme avec un chapeau, mais tout le monde n'arrive pas à présenter ce chat, cette petite fille ou cet homme avec un chapeau différemment de tous ceux qu'on a vus avant et à les faire pénétrer dans notre monde comme si nous les connaissions déjà.

Crayons, encres et aquarelles se marient avec virtuosité à la poésie et à l'absurde d'un monde rempli de surprises. Il peut se passer n'importe quoi dans *Macanudo*. Liniers dessine un monde dur, avec une délicatesse absolue comme la joie mélancolique aux antipodes du bonheur imbécile. Son travail est beau et drôle et il est lui-même quelqu'un d'éminemment sympathique.

Macanudo est publié en strip, chaque jour, dans le journal *La Nacion* à Buenos Aires depuis quelques années. Cinq recueils ont été publiés jusqu'à maintenant aux Ediciones de la Flor en Argentine. Véritable phénomène pour la bande dessinée argentine qui peut désormais être fière de ce bédéiste talentueux.

Mettant en vedette la petite Enriqueta et son nounours Madariaga, Z-25 le robot sensible ou le chat Fellini, Liniers dessine une oeuvre poétique, absurde, inventive, drôle et stupéfiante. À lire d'urgence!

Après la lecture de quelques strips, nous savions que nous avions trouvé un titre exceptionnel avec *Macanudo*. Un manuscrit de cette envergure n'apparaît qu'une fois tous les dix ans…

Liniers est né à Buenos Aires en 1973. Il y a réalisé des illustrations et des bandes dessinées pour des publications comme Página/12, Lugares, ¡Suélteme!, Comix 2000 (France), Olho Mágico (Brésil), Artists Respond (U.S.A), Zona de Obras et ¡Qué Suerte! (Espagne).

Il est aussi l'auteur du livre Warhol pour débutants en collaboration avec Santiago Rial Ungaro. Il a présenté des expositions de peinture en 2001 et 2003.

Liniers
Macanudo
tome 2

ISBN: 978-2-922585-74-2
Format: 21,6 x 21 cm cartonné
Pagination: 96
Impression: quadrichromie
Couverture: quadrichromie
PVP: 23,95 $ | 18 €

Liniers
Macanudo
tome 3

ISBN: 978-2-922585-90-2
Format: 21,6 x 21 cm cartonné
Pagination: 96
Impression: quadrichromie
Couverture: quadrichromie
PVP: 23,95 $ | 18 €
[À paraître en 2010]

Pour moi, lire Liniers est ce que j'appelle un
«effort agréable» ou plutôt un agréable effort. À vrai dire,
l'«effort» - j'ai mal choisi ce mot- que l'on accomplit lors
de la lecture des blagues de cet auteur -il aime ce terme-,
se fait après coup. Car si ce type vous prend au dépourvu,
c'est un vrai flop! En effet, les blagues de Liniers font un
effet immédiat mais, d'autre part, elles laissent un after
taste, un arrière-goût comme si l'on n'avait pas du tout
saisi leur sens en les lisant. C'est peut-être ce qui leur donne
leur pérennité et leur enlève l'aspect éphémère qu'ont
beaucoup de bandes dessinées. Et sans leur conférer la
moindre once de profondeur, de surcroît, car Liniers nous
montre aussi qu'il peut être profondément superficiel,
comme tout grand admirateur du surréalisme qu'il est.
        Ce qui me plaît peut-être le plus, c'est qu'il
n'y a pas de personnages figés dans la série de Macanudo.
Bien sûr, l'auteur le fait exprès pour nous torturer, parce
qu'en ce qui me concerne j'attends toujours la bande
dessinée de «Ces gens qui nous entourent» et du «Traducteur
de films». Ou sinon, je voudrais qu'Enriqueta apparaisse
au plus vite. Comme l'a dit Mark Twain, «Le problème avec
l'humour, c'est que personne ne le prend au sérieux».
Et le problème avec Macanudo, c'est que nous savons
justement qu'il est très sérieux. Et c'est précisément
là le truc qui nous conduit au plaisir sans le moindre effort.
— Kevin Johansen —

Violaine Leroy
La rue
des autres

ISBN: 978-2-922585-62-9
Format: 19 x 25,4 cm souple avec rabats
Pagination: 72
Impression: bichromie
Couverture: bichromie
PVP: 18,95 $ | 14 €

« Pour son premier album, aux coloris bleu acier, Violaine Leroy propose des dialogues et des crayonnés tout en finesse accouchant d'un bel amalgame de réalité brute et onirique, si étrangement semblable à la vie. »
— Voir —

Quand elle rencontre un clochard en fauteuil roulant, Sacha ne se doute pas que ses histoires vont la bouleverser et lui révéler que derrière les visages des passants se cachent des histoires fortes, tendres ou douloureuses...

La première bande dessinée de cette illustratrice française.

Violaine: faux-semblant et grandes dents. Depuis sa naissance en 1981, elle n'a toujours pas réussi à dépasser 1,58 mètre. Après avoir obtenu son diplôme à l'École supérieure des arts décoratifs de Strasbourg, elle a fait de la BD, des livres pour enfants, elle s'obstine à chercher là où il n'y a rien à trouver et elle a toujours une prédilection pour les trésors cachés, les secrets, les êtres mystérieux, les chemins tordus et les monstres invisibles. Si le vent vous y entraîne, vous pourrez voir les images qu'elle a créées pour les éditions du Rouergue, Milan, Nathan, Actes Sud et autres gribouillages...

Nicolas Langelier
Quelque part au début du XXIᵉ siècle

[Sous la direction de Nicolas Langelier]
ISBN : 978-2-922585-65-0
Format : 17,8 x 27,9 cm souple
Pagination : 168
Impression : bichromie et quadrichromie
Couverture : quadrichromie
PVP : 29,95 $ | 22 €

« L'ouvrage collecṭif qui en résulte est aussi éclaté que pertinent. »
— La Presse —

Qu'auront été les années 00 ? Comment les définir ? Et qu'est-ce qui nous caractérise, nous, qui les avons vécues, subies, inventées ? C'est pour répondre à quelques-unes de ces questions et pour en lancer d'autres, que le projet *Quelque part au début du XXIᵉ siècle* a été élaboré.

Dans cet ouvrage collectif éclaté, 40 jeunes créateurs et observateurs d'ici livrent leur vision très personnelle de la première décennie du XXIᵉ siècle. Profitant de la carte blanche qui leur était offerte, ils ont eu recours à des formes diverses (nouvelle, essai, bande dessinée, illustration, poésie) et à des approches différentes pour tracer un portrait kaléidoscopique, mais singulièrement cohérent de notre époque.

Quelque part au début du XXIᵉ siècle, ce sont les années 00 vues par une sorte d'équipe de rêve de la relève culturelle et intellectuelle québécoise : D.Y. Béchard, Isabelle Blais, Marc Cassivi, Evelyne de la Chenelière, Nicolas Dickner, Simon Olivier Fecteau, Rafaële Germain, Hugo Latulippe, François Létourneau, Marie Hélène Poitras et plusieurs autres, réunis sous la direction de Nicolas Langelier. Un projet qu'il était difficile de refuser, vous comprendrez pourquoi…

À la fois auteur, journaliste, chroniqueur, commentateur culturel, président de l'Association des journalistes indépendants du Québec, fondateur du magazine P45 et concepteur de projets en tous genres, Nicolas Langelier se considère avant tout comme un observateur attentif de son époque. Avec *Quelque part au début du XXIᵉ siècle*, il avait envie de réunir la crème des artistes et des intellectuels de sa génération afin de produire un livre unique en son genre qui encapsulerait l'esprit particulier des années 00.

Pascal Girard
Paresse

ISBN: 978-2-922585-78-0
FORMAT 21 x 15,2 cm souple avec rabats
Pagination: 112
Impression: noir et blanc
Couverture: bichromie
PVP: 14,95 $ | 11 €

pascal girard
paresse

la pastèque

« Un livre qui fait un bien énorme
et qu'on dépose en poussant
un grand soupir de satisfaction. »
— Le Libraire —

L'auteur a réalisé en 2009 une bande dessinée
de façon quotidienne sur son site internet. L'exercice a
duré six mois à raison d'un strip par jour! Avec son style
graphique qui peut faire penser à Sempé pour son pointil-
lisme et son humour direct et efficace, Pascal Girard
rate rarement sa cible. En quelques traits, il réussit
de magnifiques petits instantanés. Voici donc le premier
livre de Pascal Girard à paraître chez nous.

Pascal Girard est né à Jonquière en 1981. Dès sa première journée
sur les bancs de l'école, il commence à remplir de dessins les marges
de ses cahiers, de ses agendas. Comme il n'a jamais pu se débar-
rasser de cette bonne habitude, il a naturellement décidé d'en faire
son métier. En 2004, il termine son baccalauréat interdisciplinaire
en arts à l'Université du Québec à Chicoutimi.
Depuis, il a déménagé à Québec où il mène conjointement une carrière
d'illustrateur et d'auteur de bandes dessinées. Pour ses deux premiers
livres Dans un cruchon et Nicolas, il a reçu le prix Réal-Fillion
au Festival de la bande dessinée francophone de Québec en 2006.

Pascal Girard
Jimmy
et le Bigfoot

ISBN: 978-2-922585-88-9
Format: 19 x 25,4 cm cartonné
Pagination: 48
Impression: quadrichromie
Couverture: quadrichromie
PVP: 16,95 $ | 12 €

Pascal Girard
et Yves Pelletier
Valentin

ISBN: 978-2-922585-91-9
[À paraître en 2010]

Jimmy et le *Bigfoot* est l'histoire d'un adolescent devenu une vedette, bien malgré lui, à cause d'une vidéo où on peut le voir danser sur internet… Le pauvre Jimmy doit aussi jongler avec l'amitié, l'amour, vivre en région et un Bigfoot sur les Monts-Valins. Vaste programme en perspective…

Pascal Girard propose une chronique adolescente au ton juste avec des dialogues qui font mouche, servi par un dessin ultra précis. Son sens de l'observation et sa capacité à résumer le complexe en peu de traits sont servis de façon magistrale pour son deuxième livre à la Pastèque.

Une petite ville, une rue paisible. Des enfants jouent au hockey. Un chien essaie d'attraper la balle. De la fenêtre de sa cuisine, Stéphanie, 34 ans, vêtue de pantalons de jogging et d'un t-shirt, observe les enfants jouer tout en finissant de préparer un copieux déjeuner. La mine rêveuse, elle sourit tristement ; son chum, allergique aux chats, l'a mise au défi. Stéphanie a choisi le chat…

Valentin devait faire l'objet d'un moyen métrage d'Yves Pelletier. Changement de cap, le scénario a abouti entre les mains de Pascal Girard. Une rencontre logique entre deux univers qui ne semblent pas si distant…

Jean-Paul Eid

Des tondeuses et des hommes
Le meilleur de Jérôme Bigras

ISBN : 978-2-922585-64-3
Format : 21,6 x 27,9 cm souple avec rabats
Pagination : 128
Impression : noir et blanc
Couverture : bichromie
PVP : 24,95 $ | 18 €

« Même en noir et blanc, *Des tondeuses et des hommes* vous en feront voir de toutes les couleurs... »

— La Voix de l'Est —

« Ce sympathique recueil qui compte des inédits, ne ment pas : s'il a pris du bide, Bigras n'a pas pris une ride !. »

— Le Soleil —

Devinez qui effectue un retour chez nous ? Et oui, le célèbre Jérôme Bigras !

Jérôme Bigras n'est pas né de la dernière pluie. Ce personnage ventru, iconoclaste et inclassable est apparu dans les pages de la revue *Croc* en 1985 et y a évolué pendant près de 10 ans.

Deux albums de ses aventures, *Bungalopolis* et *On a marché sur mon gazon* ont également été publiés aux Éditions Logiques. Aventurier solitaire ? Banlieusard d'action ? Jérôme Bigras est avant tout un héros de papier : son métier n'est-il pas de jouer son propre rôle dans son propre album de BD.

Véritable laboratoire narratif où chaque épisode prend des allures d'expérience littéraire, oubapien avant l'heure (pages à lire par transparence, scénarios interactifs, interaction des personnages du recto avec ceux du verso, interventions du lecteur dans le déroulement du récit, ...), la série a cessé de paraître avec la disparition de la revue en 1995.

Puis, au grand plaisir de ses fans, Bigras réapparaît dans la revue *Safarir* durant quelques mois en 2004 et 2005. En 2006 une page des aventures de Jérôme Bigras sera également reprise dans *Le Journal de Spirou*, Spécial Québec.

Travaillant dans le domaine de la bande dessinée et de l'illustration depuis 1985, Jean-Paul Eid a collaboré à plusieurs magazines dont Croc, Les Débrouillards et Safarir. Il poursuit également une carrière d'illustrateur publicitaire et d'éditorialiste.
En 2005, il a été choisi comme président d'honneur de la première édition de BD Montréal organisée conjointement par le groupe Juste Pour Rire et le Salon du livre de Montréal.

Jean-Paul Eid
Le fond du trou
Les aventures de Jérôme Bigras

ISBN: 978-2-922585-94-0
[À paraître en 2011]

Jérôme aurait pu tout prévoir. Tout sauf un trou qui traverse physiquement l'album d'une couverture à l'autre. Un album où chaque page perforée devient une fenêtre sur la page suivante, un hublot sur la page précédente, un tunnel à voyager dans l'album comme d'autres voyagent dans le temps. Bienvenue en banlieue profonde! Vertige garanti.

Ève Dumas et Francis Léveillée
La bête

ISBN: 978-2-922585-66-7
Format: 21,6 x 25,4 cm cartonné toilé
Pagination: 96
Impression: quadrichromie
Couverture: quadrichromie
PVP: 29,95 $ | 22 €

« Au-delà des clichés. Plein d'humour, de trouvailles. Super-original. »

— Elle Québec —

« Un cadeau parfait pour de futurs parents qui n'ont pas trop envie de se prendre au sérieux »

— Coup de Pouce —

Pour y consigner le souvenir de toutes les premières fois de votre petite bête… Premier sourire, première colère, premier pipi sur vous…

L'idée nous trottait dans la tête depuis que nous sommes tous devenus parents… La rencontre avec l'illustrateur Francis Léveillée et avec la journaliste Ève Dumas a permis de concrétiser le projet.

Ève Dumas est née à Montréal il y a une trentaine d'années, mais a grandi dans la capitale fédérale. Elle a fait des études littéraires à l'Université d'Ottawa tout en travaillant comme correctrice et journaliste au quotidien Le Droit. À l'emploi de La Presse depuis 2001, où elle a longtemps écrit sur le théâtre, elle fait aujourd'hui partie de l'équipe du cahier Actuel. Heureuse lauréate du prix du journalisme de la Fondation canadienne de naturisme pour l'année 2007, elle ne recule devant aucun sujet de reportage.

Francis Léveillée est descendu de son tracteur pour faire des études de design graphique à l'UQAM. Il a aussi passé un an à Paris, dans une école d'art graphique. À l'emploi de La Presse depuis 2003, comme graphiste et illustrateur, il met son trait original au service de nombreux reportages. On peut aussi voir ses illustrations dans plusieurs magazines québécois, canadiens et américains, dont Urbania, Nuvo, Cottage Life et Nylon. Son travail lui a valu de nombreux prix aux concours Lux, Grafika, Applied Arts et Society for News Design.

Janice Nadeau
et Hervé Bouchard
Harvey

ISBN : 978–2–922585–67–4
Format : 15,2 x 20,3 cm cartonné toilé
Pagination : 168
Impression : trichromie
Couverture : trichromie
PVP : 26,95 $ | 20 €

Formée en design graphique à l'Université du Québec à Montréal et à l'École supérieure des arts décoratifs de Strasbourg (France), Janice nadeau a travaillé comme directrice artistique au sein de différentes organisations. Avec Nul poisson où aller aux éditions Les 400 coups, elle a signé en 2003 son premier album jeunesse pour lequel elle a remporté le premier Prix du Gouverneur général du Canada 2004. En 2005, elle a signé les illustrations qui constituent l'image de marque de la tournée internationale du spectacle du Cirque du Soleil, Corteo. Elle a récemment bénéficié de deux résidences d'artiste, la première lui permettant d'effectuer des recherches à la Bibliothèque internationale pour la jeunesse à Munich, la seconde lui donnant l'occasion de travailler à un projet d'édition à Saint-Mathieu-de-Tréviers (France).

Né à Jonquière en 1963, Hervé Bouchard enseigne la littérature au Cégep de Chicoutimi. En 2002, il a publié aux Éditons de L'Effet pourpre Mailloux, histoires de novembre et de juin, que Le Quartanier a réédité en même temps que son deuxième roman, Parents et amis sont invités à y assister. Ce livre lui a d'ailleurs valu le Grand Prix du livre de Montréal 2006.

« Ma-gni-fi-que ! »

— Elle Québec —

« Un album d'une grande poésie, qui laisse espérer une suite. Puis une autre. Et une autre… »

— La Presse —

« J'ai entendu que notre porte s'ouvrait avec fracas puis ma mère Bouillon qui criait le nom de mon père Bouillon. Et j'ai entendu qu'on dévalait les marches en bois de la galerie puis qu'on roulait quelque chose dans l'entrée, qui passa tout près de nous. Et j'ai entendu des voix d'hommes que je ne connaissais pas et d'autres bruits de portes. »

Quelle image gardons-nous des gens qui décè-dent ? Nous pouvons voir la même personne mais chacun d'entre nous avons une image différente de celle-ci. Personne ne voit que ce qu'il y a de vrai pour lui seul. Et s'il suffisait d'écouter ceux qui regardent ?

Rencontre extraordinaire entre une illustratrice d'exception et un écrivain qui travaille la langue comme le boulanger, le pain et le forgeron, l'acier.

Cyril Doisneau
184 rue Beaubien

ISBN: 978-2-922585-86-5
Format: 19,1x25,4 cm souple
Pagination: 64
Impression: noir et blanc
Couverture: quadrichromie
PVP: 16,95 $ | 12 €

« L'adresse peut donc être fréquentée sans risque et même avec plaisir. »

— Le Devoir —

Un jeune Français décide de changer de vie. Destination: Montréal, Québec. Dans sa valise: papier, crayons et plumes pour plus tard. Pour le moment il s'agit de trouver un travail, puis un logement... Cyril Doisneau nous convie à découvrir et à suivre son quotidien de nouvel immigrant...

Cyril Doisneau est né à Nantes en 1978. Après des études de dessinateur et de maquettiste à Nantes, il fréquente l'École des beaux-arts d'Angoulême où il obtient en 2002 son diplôme ainsi que le Prix jeune talent au festival international de la bande dessinée d'Angoulême. Cyril participe régulièrement au collectif Dopututto chez Misma. Aujourd'hui Cyril vit et travaille à Montréal.

Vincent Bergier et Laurent Kling

Les rois du pétrole

ISBN: 978-2-922585-76-6
Format: 15,3 x 22,8 cm souple avec rabats
Pagination: 56
Impression: quadrichromie
Couverture: quadrichromie
PVP: 18,95 $ | 14 €

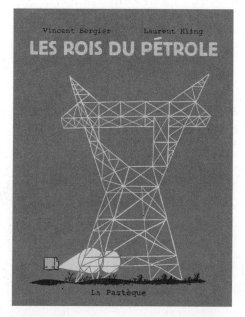

« Loufoque et sympathique, ce road movie muet est aussi réjouissant qu'échevelé ! »

— Canal BD —

Dans un pays hors du temps, trois compères, Zima, Pozor et Vlak survivent de débrouille et de petite pêche. Ils rentrent presque toujours bredouilles dans leur cabane installée à proximité d'une centrale électrique.

Ils découvrent dans un journal l'existence d'une usine d'élevage et de conditionnement de poulets tendres et délicieux. Quelle aubaine ! Le ventre vide, ils partent sur-le-champ à la recherche de l'usine à bord de leur improbable vieille camionnette...

Utilisant un ton à la fois désopilant et fantastique, (quand *L'aile ou la cuisse* rencontre *Le cabinet du Docteur Calligari*) ce récit est un road-movie entre rêve et réalité dans un monde déserté par l'humain.

Vincent Bergier passe son enfance à dessiner Lucky Luke. Après une licence en arts plastiques à Strasbourg, il participe à la création du fanzine de bandes dessinées Caramel. Depuis, il vit à Paris, il illustre des livres pour les enfants et il collabore régulièrement avec la presse jeunesse. Il sévit également dans son groupe de rock, Crash Normal, avec des disques de vinyle sortis sur des labels américains. C'est donc en toute logique que son premier album de bandes dessinées sort chez un éditeur canadien.

Avant de devenir dessinateur, Laurent Kling a emprunté de petits sentiers et de petites routes qui l'ont conduit dans des zones industrielles perdues. Il y a rencontré ceux qui vivaient là, cette étrange peuplade qui vénère le dieu électricité matérialisé sous forme d'imposants pylônes dressés comme des idoles. Après ce passage plutôt longuet, Kling devient illustrateur et il travaille surtout pour la presse et l'édition jeunesse. Il crée ses propres bandes dessinées qui sont inspirées de son ancienne vie, du burlesque contemplatif de la campagne industrialisée où l'humour côtoie le tragique.

Marsi

Miam miam fléau

ISBN: 978-2-922585-68-1
FORMAT 22,9 x 29,2 cm cartonné
Pagination: 64
Impression: quadrichromie
Couverture: quadrichromie
PVP: 21,95 $ | 16 €

« Très beau travail de la part d'un auteur qui connaît la technique »

— La Presse —

Taraboum 1er, roi des Gôls, est dévasté car Borbo, son goûteur, s'est enfui. «Rappelez-vous, Majesté, il n'avait droit qu'à une seule bouchée par plat... Et qu'à une seule gorgée... Et qu'à un tout petit rot!»

Ramener Borbo au bercail ne sera pas chose facile pour Coco Météor et son cavalier indomptable!

Le premier livre de Marsi, illustrateur issu du dessin animé et doté d'un sens narratif hors du commun.

Un manuscrit que nous avons cru destiné à d'autres que nous. Pourtant, c'est bien chez nous que cet illustrateur voulait publier son livre. Un livre comme il s'en fait trop rarement au Québec.

Marsi: [marsi] n.m.inv. — XXIa; de la contraction de Marc et Simard 1. Se dit d'un gars ayant une formation en design graphique et ayant travaillé en illustration et en dessins animés. «Les Marsi prenaient leurs aises aux faîtes des palétuviers» (Venise) 2. (intérêts) Grand amateur de sciences naturelles et de bouffe. Gavage marsien, art marsien — *Miam Miam Fléau*.

Pascal Colpron
Mon petit nombril

ISBN: 978-2-922585-85-8
Format: 22,2 x 29,8 cm souple avec rabats
Pagination: 88
Impression: noir et blanc
Couverture: bichromie
PVP: 21,95 $ | 16 €

Siris
Vogue la valise

ISBN: 978-2-922585-75-9
Format: 19 x 25,4 cm cartonné
Pagination: 128
Impression: quadrichromie
Couverture: quadrichromie
[À paraître en 2010]

Difficile de résister au talent de cet illustrateur qui, en quelques coups de crayon, parvient à résumer de brillante façon les paradoxes et les subtilités de la vie! *Mon petit nombril* est avant tout le contenu du blog dessiné quotidiennement par l'auteur. Le livre rassemble les meilleures planches du Web ainsi que des inédits pour former un ouvrage original qui vous enchantera à coup sûr!

L'auteur a 35 ans, il est marié et père d'une adorable petite fille. Il dessine depuis sa tendre enfance. Il rêve aussi de conquérir le monde pour se venger de Nancy B., celle qui n'a pas voulu sortir avec lui en sixième année comme de tous ceux qui ont ri de lui durant les années ingrates de l'adolescence. Toi! Toi! Toi! Dans les mines de sel! Mouhouhahahaha!

Voilà plusieurs années que nous attendons le grand retour de Siris. Ce sera chose faite l'an prochain avec la publication de *Vogue la valise*, un événement à ne pas manquer. Les pieds bien ancrés dans la réalité et l'oeil planant bien haut, Siris jette un regard poétique, acide et autobiographique sur son enfance.

Siris souligne depuis 18 ans les travers de la société en BD et en illustrations. Il participe à plusieurs fanzines et collectifs d'ici et d'Europe. Il a fait beaucoup de promotion pour la bande dessinée alternative lors de festivals à Montréal, en Belgique et en France. Depuis 1995, Siris se consacre plus particulièrement à son travail personnel avec ses personnages fétiches, la Poule (Baloney 1 et 2) et Rézin Sec (Cyclope 1). Il a illustré un livre jeunesse, Max et Maurice aux 400 coups en 2002.

Erik De Graaf
Souvenirs perdus

ISBN : 978-2-922585-80-3
Format : 19,1 x 25,4 cm cartonné
Pagination : 160
Impression : quadrichromie
Couverture : quadrichromie
[À paraître en 2010]

Nous avons acquis les droits français sur *Verzamelde Herinneringen* du hollandais Erik De Graaf ! Il s'agit d'un recueil de trois livres publiés par Oog & Blik en 2005. Les bandes dessinées de cet artiste néerlandais n'ont pas, à ce jour, été traduites en français.

Servis par un trait ligne claire magnifique, l'auteur nous propose des récits personnels particulièrement attachants.

Erik De Graaf est né à Vlaardingen aux Pays-Bas. Ses trois premiers albums ont été publiés chez Oog & blik depuis 2003. Une de ses histoires à été publiée dans le Drawn & Quarterly Showcase #2. Erik de Graaf travaille comme directeur artistique dans une agence de design.

Pablo Holmberg
Éden

ISBN : 978-2-922585-83-4
Format : 15,2 x 15,2 cm cartonné
Pagination : 112
Impression : quadrichromie
Couverture : quadrichromie
PVP : 24,95 | 18 €
[À paraître en 2010]

Pablo Holmberg est le deuxième auteur argentin dont nous publierons le travail après Liniers. *Éden* à été en partie prépublié sur le site internet de l'auteur depuis 2006.

L'oeuvre de Pablo Holmberg est onirique, drôle et sensible. À découvrir en 2010.

Pablo Holmberg (Kioskerman) est né à Buenos Aires en Argentine en 1979. Ses strips ont été publiés dans des revues telles que Plan V, Flasia and Nah! On retrouve certains de ces travaux sur son site internet

Benjamin Adam
Lartigues
et Prévert

ISBN: 978-2-922585-92-6
[À paraître en 2010]

Après s'être perdus de vue à l'adolescence, les circonstances et quelques accidents de parcours ont réuni *Lartigues et Prévert*. Désormais inséparables, ils tiennent ensemble une épicerie dans le Nord, et fricotent avec des petits trafiquants du coin pour arrondir les fins de mois. Quand un matin neigeux ils réchappent d'un traquenard, ils prennent conscience que cette fois-ci, leur vie un peu monotone est en train de devenir dangereuse. Sans prendre le temps d'y réfléchir, ils fuient tous les deux vers le Sud, sans comprendre tout de suite qu'à tous points de vue, à l'échelle de leurs vies, il ne sera plus possible de faire demi-tour.

Un premier livre pour Benjamin Adam à la Pastèque! L'auteur a signé *12 rue des Ablettes* chez Warum puis *2 milligrammes* et *Les mystères* avec le Collectif Troglodyte. Nous sommes enchantés de réaliser son prochain ouvrage!

Benjamin Adam est né au mois de mai 1983. Après un bref passage dans le graphisme, il reprend ses études aux Arts Décoratifs de Strasbourg en 2004. De cette période et ses rencontres naît le Collectif Troglodyte, petite maison de micro-édition, qui anime successivement (et jusqu'à ce jour) le webzine Numo et le fanzine Écarquillettes, et édite une dizaine de livres.
Depuis son diplôme, Benjamin vit et travaille de l'illustration à Nantes où, en compagnie de ses compères de l'atelier La Baie Noire, il jongle entre la bande dessinée et l'illustration jeunesse.

Fumio Obata
Sans titre

ISBN: 978-2-922585-93-3
[À paraître en 2010]

Dans un univers graphique où se mêle esthétique européenne et techniques issues de la tradition du manga, nous publierons au cours de l'année 2010 un recueil des courts travaux de Fumio Obata. Un premier livre pour cet auteur originaire du Japon.

Fumio Obata est né à Tokyo en 1975. Depuis l'âge de 16 ans, il vit en Grande-Bretagne. Il est diplômé du Glasgow School of Art et du Royal College of Art de Londres. Depuis, il a principalement travaillé pour le cinéma d'animation et le multimédia et notamment pour le studio Redkite Animations, installé à Edinburgh.

Nicolas Mahler, Benjamin Adam, Mélanie Baillairgé, Michel Rabagliati, Pascal Blanchet, Jean-François Martin et Pascal Girard
Sans titre

ISBN: 978-2-922585-82-7
[À paraître en 2010]

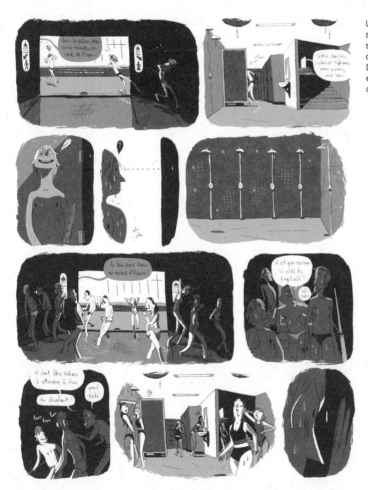

Un projet, pour l'instant sans titre définitif, réunissant plusieurs illustrateurs de France et d'ici. Des livres dans un livre et l'occasion de regarder derrière la page...

Diffusion et Distribution

Canada:
Flammarion
375 Laurier Ouest
Montréal – (QC)
H2V 2K3
T : 514-277-8807